CW00530460

INOFFIZIELLER POLIZIST

KATHRYN WELLS

Übersetzt von

TORSTEN SIMON

Verlag: 2021 von Next Chapter

Cover von CoverMint

Klappentext: David M. Shrader, verwendet unter Lizenz von Shutterstock.com

Für Mama und Papa, für euren Glauben

EINS
THORDRIC STELLT SICH VOR

„Ich sage es Ihnen, Inspector, er ist ein vernünftiger junger Mann."

Thordric hörte Inspector Jimmson seufzen. Seine Mutter war seit mehr als einer Stunde im Büro des Inspectors und versuchte mit ihm darüber zu verhandeln, Thordric einen Job im Revier zu verschaffen. „Das glaube ich gern, Maggie, aber man kann nicht leugnen, was er ist." Der Inspector senkte seine Stimme, sodass sich Thordric bemühen musste, etwas zu hören. „Er ist ein *Halb*magier, um der Zauberei willen. Wenn es jemals herauskommen würde, dass einer wie er hier arbeitet ..."

„Einer wie *er*? Inspector, ich *versichere* Ihnen, dass dieser besondere Teil von ihm vollständig unter Kontrolle ist", erwiderte seine Mutter.

„Maggie, Maggie. Denken Sie mal darüber nach, worum Sie mich hier bitten. Sie wissen, Sie sind die beste Pathologin, die ich mir wünschen könnte, und ich möchte Sie wirklich nicht verärgern, aber der Ruf des Reviers ..." Dann war es einen

Augenblick lang still. „Ich kann den Jungen einfach nicht hier arbeiten lassen."

Thordric hörte, wie einer der Stühle zurückgeschoben wurde. „Dann sind Sie nicht der Mann, für den ich Sie gehalten habe", sagte seine Mutter. Die Tür des Büros öffnete sich, sie ging mit hoch erhobenem Kopf hinaus und ihre hochhackigen Schuhe klackerten langsam und mit Stolz erfüllt. „Komm schon, Thordric, lass uns nach Hause gehen."

Thordric stand auf, eine Mischung aus Erleichterung und Enttäuschung füllte seinen Magen. Sie drehten sich um, um zu gehen, aber dann öffnete sich wieder die Bürotür. Der Inspector kam heraus und beäugte Thordric, indem er seinen buschigen Schnurrbart zwirbelte. Thordric versuchte, sich unter dem forschenden Blick des Inspectors nicht zu verschlucken.

„Er ist eingestellt", sagte der Inspector abrupt. „Er fängt morgen früh an, um sieben Uhr dreißig, aber pünktlich. Sorgen Sie dafür, dass er nicht zu spät kommt, Maggie."

„Vielen Dank, Inspector", sagte seine Mutter. Thordric dachte, dass er ein Lächeln um ihre Lippen herum aufflackern sah.

Später an jenem Tag brachte Sie ihn zum Schneider, um Maß für seine Uniform nehmen zu lassen. Da er nur der Laufbursche des Inspectors sein würde, brauchte er nicht die vollständige Polizeiuniform.

„Auch gut", sagte der Schneider, als er ein Maßband an Thordrics Brust anhielt. „Ich glaube nicht, dass ich eine so kleine Größe da habe. Nein, wirklich, es wird eine schlichte Jacke sein müssen, aber in der Größe eines Jungen, denke ich."

Er nahm Maß und schrieb die Zahl in sein in Leder gebundenes Notizbuch. Thordric streckte seinen Hals, um zu versuchen zu sehen, welche es war, aber der Schneider hielt seine

Hand hoch. „Bitte, Sir, Sie sollten sich keine Gedanken über die Einzelheiten machen. Überlassen Sie das mir." Er wendete sich dann an Thordrics Mutter und senkte seine Stimme leicht. „Sind Sie sicher, dass er vierzehn ist? Er sieht nicht älter als höchstens zwölf aus, wenn ich ehrlich sein darf, Ma'am."

„Ich bin vierzehneinhalb", sagte Thordric entrüstet. Der Schneider lächelte leicht und nahm weiter Maß.

Ein paar Stunden später kam Thordric mit seiner neuen Uniform in Händen heraus. Er war bereit nach Hause zu gehen, aber seine Mutter nahm seinen Arm und brachte ihn stattdessen zum Frisör. „Was machen wir hier?", sagte er, als er vor dem Eingang stand und die rot-weiße Stange ansah, die sich an der Wand immer wieder drehte.

„Du willst doch klug aussehen, oder nicht, mein Schatz?", sagte sie milde.

Aber auch der Frisör kritisierte ihn, indem er sich beschwerte, dass sich Thordrics Haar in solch einem schlechten Zustand befände, dass er ihm möglicherweise keinen der üblichen Polizeihaarschnitte schneiden könne (obwohl er es wirklich versuchte). Nach drei Stunden, in denen es ihm immer heißer und er immer nervöser geworden war, hatte er erklärt, dass das Einzige, das er tun könne, um Thordric klug aussehen zu lassen, sei, es komplett abzuschneiden.

„Oh, reg dich doch nicht so auf, Thordric", sagte seine Mutter, nachdem die Tat vollendet war. „Wenn der gute Frisör das für das Beste gehalten hat, dann war es auch das Beste."

„Aber ... aber, es ist so kurz. Ich habe nur noch Stoppeln. Alle werden über mich lachen."

„Unsinn", schalt sie ihn. „Es sieht sehr klug aus. Ich bin mir sicher, dass niemand etwas Böses sagen wird."

Unglücklicherweise hätte sie aus Thordrics Sicht nicht weiter danebenliegen können.

. . .

Pünktlich um 7:30 Uhr lieferte sie ihn am Empfang ab, und da stand er nun in seiner neuen Kleidung und mit kahlem Kopf, auf dem sich das Morgenlicht spiegelte. Der Constable am Empfang sah ihn an, warf seinen Kopf zurück und lachte so laut, dass all die anderen Constables herauskamen, um einen Blick zu riskieren. Einige kicherten oder versuchten, ihr Schnauben zu unterdrücken, aber die meisten lachten genauso laut wie der Constable am Empfang.

„Sieh ihn dir an", hörte Thordric jemanden flüstern. „Er ist nur eine Bohnenstange. Was hat den Inspector bloß geritten, ihn einzustellen?"

Das ganze Durcheinander brachte den Inspector dazu, drohend um die Ecke zu sehen, während sein Gesicht genau die Gewitterwolke widerspiegelte, die die ganze Stadt in der vorherigen Nacht durchnässt hatte. Alle Constables sahen ihn nur einmal an und bekamen Angst, flohen zurück an ihre Schreibtische und vergruben ihre Köpfe in Papierkram.

„Hier bist du also, ähm, Thorbid", sagte er, während seine Augen jede Einzelheit von Thordrics Kleidung und Körperbau aufnahmen. „Kaum Material für einen Polizisten, aber ich glaube, das wird reichen. Komm mit."

„Inspector?", piepte Thordric. „Ich heiße Thordric, nicht Thorbid."

„Sei ruhig, Throbay. Folge mir."

Thordric folgte ihm widerspruchslos an den Schreibtischen der Constables vorbei und ins Büro des Inspectors. Es war ein geschmackvoller Raum, mit dunklen Bücherschränken und einem Schreibtisch aus Holz ausgestattet. Man konnte kein einziges Staubkörnchen erkennen. „Nun", sagte der Inspector, als er sich in seinen riesigen Lederstuhl setzte. „Ich bin mir sicher, dass deine Mutter dir schon deine Pflichten erklärt hat. Aber dennoch sehe ich keinen Grund, dich nicht erneut an sie zu erinnern. Deine Rolle hier ist die meines Laufburschen. Du wirst das tun, was ich sage, holst auf meinen Befehl hin Dinge ab und bringst sie wieder zurück, bringst alle Briefe, die verschickt werden müssen, zur Post und bereitest Tee zu, wann auch immer mir danach ist. Du wirst nicht, ich wiederhole: *NICHT* mit den Constables sprechen und es ist absolut verboten, ihnen bei ihren polizeilichen Pflichten zu helfen. Und falls jemand herausfindet, dass du ein *du weißt schon was* bist, dann fliegst du schneller hier raus, als dich deine Füße tragen können. Verstanden?", sagte er, während er seinen dicken buschigen Schnurrbart streichelte.

„Ja, Sir", sagte Thordric mit verlegen gebrochener Stimme.

„Inspector", sagte der Inspector.

„Was, Sir?"

„Du sagst ‚Ja, Inspector'".

„Oh, natürlich", murmelte Thordric. „Ja, Inspector."

„Gut", sagte der Inspector fröhlich. „Geh und bereite mir eine Tasse Tee zu und bring mir ein paar Jaffa Cakes."

Thordric verbrachte den Rest des Morgens damit, dem Inspector große Tassen Tee zu bringen („Nein, nein, Thorble, *zwei* Stück Zucker und nicht so viel Milch!"), Nachrichten innerhalb des Reviers hin und her zu transportieren und so zu tun, als sei er nicht da, wenn einer der Constables an ihm vorbei ging. Er hatte kaum Zeit, seine Mutter zu besuchen, als sie Mittagspause machte, und als er Pause hatte, bemerkte er, dass sie kein Mitleid mit ihm hatte.

„Ich weiß nicht, was du erwartet hast, Thordric. Du wusstest, das Leben auf dem Revier würde schwer werden."

„Ja, aber nicht *so* schwer."

„Oh, Thordric. Du bist kein Baby mehr, du bist schon fast fünfzehn."

„Ich weiß“, sagte er und ließ den Kopf hängen. „Aber warum durfte ich nicht zur Akademie, wie all meine Freunde?“

Seine Mutter atmete langsam aus. „Du weißt ganz genau warum. Das ist der einzige Weg, auf dem ich dir eine Zukunft garantieren konnte.“ Sie nippte an ihrem Kaffee, einer besonderen Mischung, entwickelt vom Rat der Magier, um seine Gedanken wieder vitalisieren und sich konzentrieren zu können. „Du solltest jetzt zurück gehen, der Inspector wird nach dir fragen.“

„Aber ich habe doch noch nichts gegessen!“

„Daran hättest du denken sollen, bevor du zu mir gelaufen kamst. Du solltest während deiner Arbeitszeit nicht hierher kommen. Mir geht es wunderbar.“

„Ja, Mutter“, sagte Thordric, als er zurück zum Revier schlich.

Der Inspector wartete auf ihn, als er ankam, sein Schnurrbart kräuselte sich nach oben in seine Nasenlöcher, als er Thordric wütend anstarrte. „Thormble! Wo warst du? Ich habe überall nach dir gesucht! Geh und hol mir eine Ausgabe der Lokalzeitung.“

„Ja, Inspector“, sagte er. Er ging so schnell wie möglich, ohne es so aussehen zu lassen, als renne er weg.

Es regnete, als er raus kam. Es regnete die neuen Regenbogenfarben, die bei Jugendlichen in seinem Alter so beliebt waren. Er sah nach oben und sah, wie sie vom Dach der Bibliothek Pulver in den Regen streuten, und als sich beides vermischte, wurden die Tropfen hellrot, orange und rosa.

Er hätte gern bei ihnen mitgemacht, es mal versucht, so wie sie es taten, aber es war ihm nicht erlaubt, irgendetwas anzufassen, das der Rat der Magier erschaffen hatte. Seine Mutter sagte ihm, dass, falls er es tat, es unglaublich gefährlich sei. Alles konnte passieren, wenn sich etwas mit seiner wilden Zauberei eines Halbmagiers vermischte. Seine Mutter hatte darauf geachtet, dass er mit dem Wissen um die Risiken aufgewachsen war, indem sie ihm Geschichten über Halbmagier erzählte, die versucht hatten, damit zu experimentieren, und das Ergebnis war der Verlust verschiedener Gliedmaßen, dass sie sich selbst in Tiere verwandelt hatten, oder im Fall eines besonders Unglücklichen, in einen Kürbis.

Das hatte ihm Angst gemacht, als er noch jünger gewesen war, aber jetzt wünschte er sich, dass er allen das Gegenteil beweisen könnte. Er wollte ihnen zeigen, dass die Zauberei von Halbmagiern nicht immer gefährlich war, dass *seine* Zauberei nicht gefährlich war, aber seine Mutter würde es ihm niemals verzeihen, wenn er es versuchte. Sie wollte ihn zu einem anständigen jungen Mann erziehen und seine Magierseite ignorieren, vergessen, dass sie existierte. Aber das konnte er nicht. Sie steuerte seine Träume, ließ ihn Dinge ausprobieren wollen, und ein- oder zweimal hatte sie sogar die Kontrolle über seinen Körper übernommen.

Er erinnerte sich an ein Ereignis, als er noch in der Grundschule war: einer der älteren Jungen hatte herausgefunden, was er war, und beschlossen, es allen zu erzählen. Thordric war so wütend gewesen, dass er in die Hände geklatscht hatte und alle, einschließlich seines Lehrers, den Vorfall vergessen ließ. Unglücklicherweise wurde der Junge, der damit angefangen hatte, direkt durch Thordrics Kräfte getroffen, was damit endete, dass er sein komplettes Gedächtnis verlor.

Die Schule schrieb es als einen verrückten Unfall ab, aber Thordrics Mutter wusste es besser. Sie hatte sich ihn hinsetzen lassen und ihn nett gefragt, was wirklich passiert sei. Er sagte es ihr, dass er wusste, dass es falsch gewesen war, aber dass er es einfach nicht hatte kontrollieren können. Sie hatte ihn getröstet, aber gesagt, dass, wenn so etwas noch einmal passierte, er es ihr direkt sagen müsse.

Trotz seiner guten Vorsätze wurde *sie* traurigerweise das

Opfer des nächsten Angriffs seiner Kräfte, während sie ihn schalt, ein Chaos in ihrem Arbeitszimmer veranstaltet zu haben. Unaufgefordert hatte er mit seinem Fuß auf den Boden gestampft und ihr einen vollkommen anderen Gedankengang geschickt, und da ihr das nicht aufzufallen schien, erschien es ihm besser, sie einfach weitermachen zu lassen und ihr nicht zu sagen, was geschehen war.

Als er an die Zeit zurück dachte, als er noch jünger gewesen war, fragte er sich reuevoll, wie anders alles gewesen wäre, wäre er normal geboren worden. Einer der bunten Regentropfen landete auf seiner Nase, und er erinnerte sich mit einem Kopfschütteln daran, dass er eigentlich zum Zeitungsstand gehen sollte, um dem Inspector eine Ausgabe der *Jard Town Gazette* zu besorgen.

Er beschleunigte seine Schritte, aber als er ankam sah er, dass sie ausverkauft war. Der Verkäufer sagte ihm, dass er es vielleicht am Stand am anderen Ende der Stadt versuchen könnte, und daher musste er hinüber rennen, um eine zu bekommen. *Dieser* Verkäufer hatte noch eine letzte Ausgabe und verkaufte sie Thordric zum doppelten Preis, da er sah, wie eilig er es hatte.

„Ui, du bist nicht der übliche Laufbursche des Inspectors, oder?"

„Nein, Sir", sagte Thordric, als er schon davonlaufen wollte.

„Wann hast du denn angefangen?", fuhr der Verkäufer fort.

„Äh, heute, eigentlich", sagte Thordric und verschwand, bevor ihm noch eine Frage gestellt werden konnte.

Er rannte in Rekordzeit zurück zum Revier und war so von sich beeindruckt, dass er den Inspector nicht im Türrahmen seines Büros stehen sah. Der dann folgende Knall hallte durch das ganze Gebäude und alle Constables schossen wieder herbei, um einen Blick zu erhaschen. Sie fanden den Inspector mit seinem Kopf im Papierkorb und auf dem Boden liegend vor. Thordric war so gegen die beachtliche Gestalt des Inspectors geprallt, sodass er neben dem Bücherregal landete, mit einer Ausgabe von *Das Polizeihandbuch* offen auf seinem Kopf. Seine Augen waren offen, als die Constables an ihm vorbei liefen, um nach dem Inspector zu sehen.

„Inspector?", sagte einer, der es wagte, ihn leicht zu schütteln. „Inspector Jimmson, können Sie mich hören?"

Der Inspector murmelte etwas Unzusammenhängendes. Der Constable griff Thordric an. „Sieh dir an, was du angerichtet hast, du kleiner Wicht! Hat dir denn niemand gesagt, dass man im Revier nicht rennen darf?"

Thordric hörte ihn nicht. Der Constable schlug ihn kraftvoll. „Ich rede mit dir, du kleiner Wicht."

„W ... was?", sagte Thordric, dessen Augen sich gerade erst wieder zu fokussieren begannen. Er sah den Inspector, halb bei Bewusstsein und bewegungslos. „Blimey, was ist mit dem Inspector passiert?", sagte er. Der Constable schlug ihn wieder.

„Autsch", sagte er. „Für was war das denn?"

„Ach, mach dir nichts draus", sagte der Constable und gab es auf. Er wendete sich an einen der anderen Constables. „Fred, sieh zu, dass du diesen Trottel nach Hause bringst. Er wird für den Rest des Tages niemandem mehr nützen. Ich kümmere mich um den Inspector.

Der Constable, dessen Name Fred war, ergriff Thordric und zog ihn aus dem Revier hinaus zur Leichenhalle, wo es der Constable als seine Pflicht empfand, seine Mutter über die Geschehnisse zu informieren. Sie war nicht sehr amüsiert.

„Thordric Manfred Smallchance! Wie konntest du nur? Und auch noch an deinem ersten Tag!" Sie warf ihre Hände in die Luft, da sie wohl vergessen hatte, dass sie mit dem Blut der letzten armen Seele beschmiert waren, an der sie eine Obduktion durchführte. „Bringen Sie ihn nach Hause, Constable, und verschließen Sie die Tür, damit er nicht noch mehr Unheil anstellen kann.“

ZWEI
DIE SCHWESTER DES INSPECTORS

Thordric erwachte zum Klang des Klopfens seiner Mutter gegen seine Schlafzimmertür. „Thordric. Thordric! Es ist Zeit aufzustehen!"

Er runzelte die Stirn, seine Augen waren zu schwer, um sie zu öffnen.

„Thordric, steh auf", fuhr seine Mutter fort, während sie immer noch an die Tür klopfte. „Du musst aufstehen und dich beim Inspector entschuldigen." Er hörte sie seufzen und weggehen.

Zuerst kam es ihm nicht mehr in den Sinn, was sie gesagt hatte, aber dann erinnerte er sich. Er war gegen den Inspector gerannt und das hatte ihn fast bewusstlos gemacht. Während er den plötzlich aufgetretenen Kloß in seinem Hals herunterschluckte, kletterte er aus dem Bett und tastete nach seiner Kleidung, bevor er nach unten lief.

Seine Mutter wartete auf ihn, als er ankam. Er dachte, sie sähe heute besonders hübsch aus. Ihr dunkles, gewelltes Haar hing lose um ihre Schultern und sie trug ihre purpurroten Stöckelschuhe, aber er wusste, dass, wenn er ihr es sagte, würde sie denken, er wollte ihr Honig um den Bart schmieren. Das war etwas, das sie hasste.

„Ich hoffe, du bist dir über die Schwere des Schadens im Klaren, den du gestern verursacht hast", sagte sie knapp. „Als der arme Inspector endlich wieder zu Besinnung kam, musste ich ihn stundenlang beknien, dir noch eine Chance zu geben."

„Ich ...", begann Thordric, aber ihm fehlten die Worte.

„Ich erwarte, dass du nie wieder so einen Fehler machst oder solche Probleme verursachst. Hätte sich der Inspector nicht als perfekter Kavalier erwiesen, dann hätte das meinen Job genauso gut wie deinen kosten können. Wie es aussieht, schätzt er meine Freundschaft sehr und hat zugestimmt, über die Sache hinwegzusehen. Aber nur dieses eine Mal."

„Ich verstehe, Mutter. Ich werde das nicht mehr tun, das verspreche ich."

„Nun gut", sagte sie. „Dann geh jetzt und vergiss nicht, seinen Tee genau so zuzubereiten, wie er ihn mag. Und beschwere dich nicht über die Constables, momentan verdienst du ihre groben Bemerkungen." Thordric musste zustimmen. Wie hatte er seinen ersten Tag so vermasseln können? Nicht einmal die anderen Halbmagier, von denen er gelesen hatte, hatten *so* viel Pech gehabt.

Er lief schnell zum Revier, kam sogar noch vor dem Inspector an, und machte eine dampfende Tasse Tee und einen Teller voll Jaffa Cakes für ihn fertig. Als der Inspector schließlich hereinkam, sagte er nichts, da er Thordric vollkommen ignorieren wollte. Aber als er fast mit seinem fünften Jaffa Cake fertig war, entschloss er sich zu sprechen. „Ich möchte niemals über das sprechen, was gestern geschehen ist. Es war ein normaler Tag, genau wie jeder andere. Verstanden?"

„Ja, Inspector", sagte Thordric, indem er den Kopf senkte.

Der Inspector wischte die Krümel aus seinem Schnurrbart. „Hier", sagte er, als er ein Blatt Papier in Richtung Thordric schob. „Geh zur Reinigung in der Warn Street und zeig das dort vor. Man wird dir die Sachen meiner Schwester geben, die du danach an ihrem Haus abliefern wirst. Hier ist ihre Adresse." Er kritzelte etwas auf ein anderes Stückchen Papier und gab es Thordric. „Du sollst sie dann fragen, ob du dich noch um andere Arbeiten kümmern sollst, und falls sie das wünscht, sollst du sie für sie erledigen."

„Aber ...", protestierte Thordric, hielt jedoch inne, als der Inspector ihn anfunkelte.

„Du sollst dann zur Bank gehen und dort das hier abgeben", fuhr er fort, während er Thordric ein weiteres Blatt Papier gab. „Und dann sollst du die *Jard Town Gazette* besorgen. Vergewissere dich, dass es die heutige Aufgabe ist, und kein Überbleibsel von gestern. Ist das klar?"

„Ja, Inspector", sagte Thordric, während er versuchte, seine Stimme positiv klingen zu lassen.

„Denk dran, Thormble, *keine Fehler*."

Thordric verließ das Büro mit so viel Würde wie er aufbringen konnte. Er sah die Notizen in seiner Hand an und versuchte sich zu erinnern, was was war. Die Adresse der Schwester des Inspectors war einfach wiederzuerkennen, aber die Notizen für die Reinigung und die Bank waren beides Nummern. Jede war ohne Leerstellen in eine einzige Zeile geschrieben und es gab nichts, wodurch man sie unterscheiden konnte. Er schluckte schwer.

Er kam schnell bei der Reinigung an und schwitzte leicht wegen der Hitze im Laden. „Ja, Sir?", sagte die Frau an der Theke, ohne ihn auch nur anzusehen. Sie las ein Magazin und interessierte sich vor allem für einen Artikel, wie man das neue Zauberpuder des Rats der Magier benutzen konnte, um Flöhe und Käfer im Haus loszuwerden. Sie nickte, während sie las, und Thordric murrte leise. Er hasste den Rat der Magier. Ja, richtig, sie taten wirklich viele lustige Sachen wie die neuen

Regenbogen-Farben, aber das war nur der untere Teil des Rats. Aber Hochmagier Kalljard hatte nie etwas damit zu tun, er war viel zu wichtig für so triviale Dinge. *Er* war derjenige, den Thordric wirklich nicht mochte, denn er war es gewesen, der trotz der Gerüchte, dass er selbst einen Halbmagier gezeugt hatte, so viel Hass auf Halbmagier verbreitet hatte.

Bevor Kalljard an die Macht gekommen war, hatte man Halbmagiern genauso vertraut wie allen anderen auch und die Menschen waren oft zu ihnen gekommen, weil sie Hilfe brauchten und sie sich nicht die Preise eines Vollmagiers leisten konnten. Aber das war schon mehr als tausend Jahre her, da es Kalljards Entdeckung der ewigen Jugend gewesen war, die es ihm ermöglicht hatte, den Rat zu gründen und ihm vorzustehen. Niemand hatte ihn erfolgreich dazu bringen können, seine Geheimnisse der ewigen Jugend zu teilen, aber er hatte einen Trank entwickelt, der es den älteren Menschen in den letzten Tagen ihres Lebens ermöglichte, jung auszusehen und sich auch so zu fühlen.

Vollmagier waren in der Tat ziemlich selten, jedes Jahr wurden nur eine Handvoll geboren. Jeder Vollmagier wurde in eine Familie geboren, in der es zuvor noch keine Magie gegeben hatte, und es wurde gesagt, dass ihre Kräfte von all der potenziellen Magie herrührten, die die Familie in ihrer Blutlinie hatte. Um ihre Kräfte rein zu halten, war es Vollmagiern nicht erlaubt zu heiraten. Wenn alle dieses Gesetz beachteten, gäbe es natürlich keine Halbmagier.

Die Frau beendete ihren Artikel und sah auf, sie legte die Stirn leicht in Falten als sie seinen stoppeligen Kopf sah. „Ich muss die gereinigte Kleidung der Schwester des Inspectors abholen“, sagte er, die Worte trippelten mechanisch aus seinem Mund.

Sie hob ihre Augenbrauen an. „Haben Sie den Code des Inspectors?“

„Ja, ich ..."

Er sah mit verzerrtem Gesicht die beiden Notizen an. Es war unmöglich zu sagen, auf welcher der Code war. Indem er mit den Schultern zuckte wählte er zufällig eine aus und gab sie ihr. Sie las die Zahl und überprüfte sie anhand ihrer Liste. „Das ist in der Tat der Code des Inspectors", sagte sie mit deutlicher Überraschung in ihrer Stimme. „Einen Moment, Sir."

Sie ging nach hinten und tauchte einen Augenblick später mit einem riesigen Haufen Kleidung wieder auf. „Bitteschön, Sir. Sagen Sie dem Inspector, dass wir ihm für seinen Auftrag danken." Sie übergab ihm den Haufen, wodurch seine Knie leicht nachgaben. Er bemühte sich zu lächeln, dankte ihr und ging ganz langsam durch die Tür. Wie konnte jemand nur so viel Kleidung besitzen?

Als er erst einmal auf der Straße war, fand er einen Briefkasten, um sich anzulehnen, während er die Adresse aus seiner Tasche fischte. Er las sie und fluchte: 52, Rosemary Lane. Das war am anderen Ende der Stadt. Er konnte beim Gedanken daran fast schon den Schmerz in seinen Muskeln spüren.

Als er die kirschrote Haustür erreichte, die von Heckenkirschen umgeben war, fühlten sich seine Füße an, als seien sie von Blasen übersäht, und er schwitzte sehr stark. Da er die Dame nicht kränken wollte, straffte er schnell seine Uniform, während er den Haufen Kleidung nur auf einem Arm hielt. Die Tür öffnete sich, bevor er auch nur anklopfen konnte, und eine Frau stand nur Zentimeter vor seiner Nase. Ihr Haar war so fest zu einem Knoten gebunden, dass ihr das ein leichtes Lifting verschaffte. Thordric spürte, wie seine Knie sich wieder beugten.

„Und wer bist du wohl?", sagte sie.

„Ich bin Thordric, Ma'am. Der Inspector schickt mich, Ihnen Ihre gereinigte Kleidung zu bringen."

Sie schürzte die Lippen. „Sehr schön. Bring alles rein und leg es auf das Geländer. Schnell, Junge!"

Er tat wie ihm geheißen, während er ihre Blicke sich in seinen Rücken bohren spürte.

„Nun, warum bist du immer noch hier?", sagte sie.

„Der Inspector hat mich gebeten, Sie zu fragen, ob Sie Hausarbeiten hätten, die gemacht werden müssen, Ma'am, und falls ja, sie für Sie zu erledigen."

„Es scheint, als hätte mein Bruder endlich Manieren entwickelt. Komm her, Junge, und lass uns sehen, was du tun kannst". Thordric dachte, er sähe ein Lächeln über ihre Lippen huschen, aber es war zu schnell wieder weg als dass er sich dessen sicher sein konnte.

Sie führte ihn in die Küche. Es war ein großer Raum mit einem dunklen Ofen als Zentrum und Thordric nahm den wunderbaren Duft auf, der von ihm verströmte. Es war gebratenes Hähnchen mit Kartoffeln und sein Magen knurrte hörbar. Die Schwester des Inspectors bemerkte es nicht. Stattdessen griff sie in eins der übergroßen Regale und holte einen verbeulten alten Kupferkessel hervor.

„Ich will, dass du diesen Kessel reparierst", sagte sie, indem sie ihn ihm gab.

Er sah ihn nachdenklich an, da er mehrere große Beulen und einen Schlitz in der Seite bemerkte. „Ich werde es versuchen, Ma'am, aber ich möchte nicht so tun, als hätte ich die Fähigkeiten, das tun zu können."

„Quatsch, Junge!", spottete sie. „Benutz deine Magie."

Thordric schnappte nach Luft. „Sie wissen, dass ich ein Halbmagier bin?"

Sie lachte. „Sei nicht dumm, Junge. Ich kann deine Kräfte aus einer halben Meile Entfernung riechen, so stark sind sie. Ich dachte tatsächlich, du wärst vom Rat der Magier, weshalb ich so besorgt war, als du an meiner Tür aufgetaucht bist."

„Was meinen Sie damit, Sie können meine Kräfte *riechen*?", sagte er mit brechender Stimme.

„Verzeih mir, riechen ist vielleicht das falsche Wort. Spüren ist passender, glaube ich. Es war mein verstorbener Ehemann, der mich das gelehrt hat, verstehst du? Er war ebenfalls ein Halbmagier."

„Er war?"

„Ja. Komm und setz dich, jetzt wo ich weiß, dass du keine Gefahr bist." Sie führte ihn in den Wintergarten und ließ ihn sich auf ein helles, cremefarbenes Rattansofa setzen.

„Dann vertrauen Sie dem Rat der Magier nicht?", fragte er.

„Natürlich nicht", sagte sie und konnte dabei nicht die Verachtung in ihrer Stimme verbergen. „Ein gieriges, seelenloses Pack sind sie. Haben meinen armen Ehemann in den Tod getrieben."

„Wie?", sagte er, bevor er sich aufhalten konnte.

Sie seufzte. „Ich denke, du hast die Geschichten über Halbmagier gehört, die versuchten, sich selbst zu beweisen? Nun ja, mein Ehemann war genauso. Er hat viele Zaubersprüche geschaffen, die genauso gut wie die waren, die vom Rat der Magier kommen. Er hat ebenfalls Tränke entwickelt, die meisten davon waren wirkungsvoller als alle, die der Rat herstellt. Er hatte einen Streit mit einem Vollmagier über das alles, direkt vorne auf der Straße. Er kam wutentbrannt nach Hause, also habe ich vorgeschlagen, er solle einen Spaziergang in den ruhigeren Gassen machen, um seinen Kopf frei zu bekommen. Er wollte nicht, aber er ging trotzdem. Er kam in jener Nacht nicht nach Hause." Sie tupfte ihre Augen mit einem Taschentuch ab. „Sie haben am nächsten Morgen seine Leiche gefunden, sie war dunkellila. Mein Bruder, der damals gerade erst zum Inspector gemacht worden war, hielt alles für mich unter der Decke, sodass die Zeitungen nicht bei mir anklopften. Er sagte, der Pathologe glaube, er hätte einen

Zauberspruch ausprobiert, und er hätte, wie die meisten Halbmagier, damit seinen Untergang provoziert."

„Das tut mir leid", sagte Thordric, während er ihr unpassend auf die Schulter klopfte.

„Danke, Junge. Das war vor langer Zeit", sagte sie, schneuzte sich und setzte sich auf. „Richtig. Nun muss ich mehr über dich herausfinden. Wer war dein Vater?"

„Das hat mir Mutter nie gesagt. Alles, was sie sagte war, dass er ein Magier war."

„Vermutlich einer im Rat, oder?"

„Vermutlich. Sind nicht alle Vollmagier im Rat?"

„Nein. Es gibt einige, die nicht mit dem einverstanden sind, was der Rat tut und es ablehnen, etwas mit ihm zu tun zu haben. Sie werden genauso gemieden wie ihr Halbmagier, sodass viele ihre Kräfte nicht anbieten."

„Oh. Ich verstehe", erwiderte Thordric, während er auf dem Sofa hin und her rutschte. „Wa ... warum möchten Sie das alles über mich erfahren, Ma'am?"

„Bitte, nenn mich Lizzie", sagte sie, während sie eine Hand hob. „Die Wahrheit ist, dass ich dir helfen will. Wenn du auch nur halb so starke Kräfte hast, wie ich denke, dann bist du in der Lage, tolle Dinge zu tun, abgesehen davon, meinen Kessel zu reparieren. Sie lachte und öffnete ihren Haarknoten leicht, was die Härte aus ihrem Gesicht nahm. „Nun, wie viel Magie kannst du im Moment bewirken?"

Thordric fühlte sich ausgelaugt. „Keine", sagte er.

„Oh, komm schon, du hast doch bestimmt schon mal was gemacht?", sagte Lizzie.

„Nun ja, ich habe vielleicht schon mal zufällig für einen Gedächtnisverlust bei Leuten gesorgt, oder dass sie vergessen haben, was sie sagten. Aber ich habe niemals etwas absichtlich gemacht. Mutter sagte, dass es zu gefährlich sei.

„Quatsch!", sagte Lizzie. „Nun, ich schiebe meine Arbeit

mit dir sicherlich auf." Sie stand auf und brachte ihn in den Garten, wo sie ihn vor einen toten Baumstumpf stellte. Es regnete stark, aber sie schien es nicht zu bemerken.

„Und nun", sagte sie, während ihre Stimme wieder ihre Schärfe annahm. „Das erste, was du tun musst, ist zu lernen, wie du deine Kräfte konzentrierst." Sie streckte ihren Arm mit erhobenem Zeigefinger aus. „Ich möchte, dass du deine ganze Aufmerksamkeit auf diesen Baumstumpf konzentrierst, und wenn du glaubst, es klappt, sollst du einen roten Punkt genau in die Mitte malen."

„Aber ich habe doch keine Farbe", sagte er.

Der Blick, den sie ihm zuwarf, ließ die Stoppel auf seinem Kopf sich kräuseln. „Tu es mit deinen Kräften, Junge!"

„Aber ich weiß nicht wie", beschwerte er sich.

Lizzie seufzte. „Konzentriere dich einfach darauf und stell dir vor, wie du selbst malst."

Während der nächsten Stunde, während der Regen seine Stiefel gefüllt hatte und nun das Wasser aus dem Schaft lief, hatte es Thordric geschafft, überall am Gartenzaun, am Schuppen und an den Büschen Punkte zu malen, aber keiner war auf dem Baumstumpf gelandet.

Lizzie hatte ihn unermüdlich beobachtet. „Wohin zielst du, Junge? Das Ziel ist vor dir, nicht hinter dir!", sagte sie. „Konzentriere dich. Spüre die Kraft in dir und bring sie zum Vorschein."

An einem Punkt drehte er sich um, um ihr zu sagen, dass es einfach nicht möglich sei, und malte ihr dabei einen roten Punkt auf die Stirn. Statt wütend auf ihn zu sein, verfiel sie in Lachen. „Ich glaube, es ist wirklich an der Zeit für ein bisschen Tee."

Indem sie ihren nun durchnässten Rock hochzog setzte sie

ihn in die Küche, um sich den zerbeulten Kessel anzusehen. „Warum denken Sie, dass ich ihn reparieren kann, wenn ich nicht einmal einen Punkt auf einen Baumstumpf malen kann?", fragte er bestürzt.

„Möchtest du nun Tee oder möchtest du keinen?", fragte sie, indem sie eine Augenbraue hoch bis an ihren Haaransatz zog.

„Ja, ich möchte."

„Dann wirst du den Kessel reparieren. So einfach ist das." Sie stand auf und beschäftigte sich in der Küche. „Oh, und lass dir nicht zu lange Zeit, ich will den Tee gerade zu der Zeit fertig haben, wenn ich diesen Kuchen fertig gebacken habe. Und du willst auch noch zur Bank, bevor sie schließt", sagte sie. Er sprang auf. Woher wusste sie, dass er noch dorthin musste?

Er zuckte die Schultern und wandte sich dem Wasserkocher zu. Da stand er, sein Spiegelbild starrte ihn verzerrt und schmutzig von der glanzlosen Oberfläche aus an. Er seufzte und klatschte in die Hände, da er hoffte, die Bewegung würde ihm einen Tipp oder eine Ahnung bescheren, wie er ihn reparieren könnte. Aber das geschah nicht.

Er beschloss, zuerst an den Beulen zu arbeiten. Wenn er vielleicht von der Innenseite her drückte, würde sich das Metall wieder nach außen biegen. Die ersten paar Versuche schlugen fehl und er hatte solch eine Kraft benutzt, dass sie den Kessel durch die Küche und in den Wintergarten hinaus segeln ließ.

Lizzie lächelte und sagte nur: „Versuch es weiter, Junge."

Langsam verbesserte sich sein Zielen und er schaffte es, zwei der größeren Beulen verschwinden zu lassen. „Nun versuch, diesen Riss zu reparieren", sagte Lizzie über seine Schulter. „Der Kuchen ist fast fertig."

Zu dieser Zeit schwitzte Thordric fast so sehr wie er es getan hatte, als er ihre Kleidung trug. Er konnte nicht glauben, wie viel Energie er brauchte, um seine Kräfte anwenden zu können. Mühten sich alle Magier so ab wie er? Oder nur die Halbmagier?

Er wischte den Schweiß von seiner Stirn, und um sich einen besseren Eindruck davon zu verschaffen, wie der Riss beschaffen war, legte er seine Hände auf ihn. In diesem Moment verspürte er eine äußerst merkwürdige Empfindung. Er konnte den Kessel spüren, nicht nur, wie er jetzt in seinen Händen lag, sondern wie er gewesen war, als er hergestellt wurde. Glatt und perfekt rund. Als er sich darauf konzentrierte, wollte er ihn zwingen, wieder so zu sein, indem er fest seine Augen schloss.

Lizzie klatschte laut. „Öffne deine Augen, Junge", sagte sie. Er konnte das Lächeln in ihrer Stimme hören, und als er seine Augen wieder öffnete, sah er auch warum. Er hatte es getan. Der Kessel war wieder brandneu. Überhaupt keine Beulen oder Risse mehr, nicht einmal ein Hinweis darauf, wo sie gewesen waren.

Er sprang mit einem so breiten Grinsen, dass es kaum auf sein Gesicht passte, von seinem Stuhl auf, rannte wieder raus in den Regen und malte einen roten Punkt auf den Baumstumpf, ohne überhaupt daran zu denken. Er fühlte sich so leicht und so *frei*. Er hatte seine Magie benutzt - seine Magie - und es hatte funktioniert. Er tanzte im Garten herum, schwang den Kessel herum, als wäre er seine Tanzpartnerin, und hörte erst auf, als Lizzie ihn am Arm packte und wieder nach drinnen zog.

„Sachte, Junge. Ich brauche ihn noch", sagte sie, während sie ihm den Kessel abnahm.

„Haben Sie das gesehen, Lizzie? Haben Sie gesehen, wie ich den Punkt auf den Baumstumpf gemalt habe?", lachte er. Sein Körper zitterte vor lauter Aufregung und nervöser Energie, sodass er wie ein Wackelpeter wackelte. Lizzie führte ihn zu einem Stuhl am Tisch.

„Das habe ich, Junge, das habe ich. Aber glaub nicht, dass du dein Training schon hinter dir hast. Du musst noch furchtbar viel lernen." Sie stellte eine Tasse Tee und ein Stück Kuchen, so groß, dass es den Teller ausfüllte, neben ihn. „Iss das. Es wird dir wieder Energie geben."

Ein paar Mundvoll später war er wieder ruhig. „Wie werde ich mein Training beenden?", sagte er. „Der Inspector will, dass ich den Rest der Woche seine Erledigungen mache."

„Du hast doch sonntags frei, oder?", sagte sie.

„Hm ... ja, ich glaube schon."

„Nun gut, dann kommst du jeden Sonntag her und führst dein Training fort. Wie hört sich das an?"

Thordric grinste und verschüttete den Tee über seinen ganzen Oberkörper.

DREI
EIN TOD IM RAT

Thordric kam keine zehn Minuten, bevor sie schloss, bei der Bank an und war zu sehr außer Atem, als dass er sein Anliegen vortragen konnte. Er schob das Stück Papier, das ihm der Inspector gegeben hatte, dem Bankangestellten zu, bevor seine Beine ihren Dienst versagten. Der Angestellte beugte sich über ihn, um zu sehen, ob er die Sicherheit bitten müsste, Thordric wegzuziehen, aber sah, dass er ihn von unten angrinste. Der Mitarbeiter rümpfte seine lange Nase, die er leicht herabhängen ließ, und durchwühlte seine Papiere. Schließlich zog er ein hellrosa Blatt hervor und kritzelte konzentriert darauf herum.

„Bitteschön ... Sir", sagte er und ließ es über den Tisch in Thordrics Schoss fallen. „Wäre das alles?"

Thordric steckte das rosa Stück Papier ordentlich in seine Jackentasche und zog sich wieder auf die Beine, indem er den Schreibtisch als Stütze verwendete. „Ich, ähm, ich glaube schon", erwiderte er, da er sich nicht sicher war, ob der Angestellte wirklich das getan hatte, was der Inspector wollte.

„Dann einen schönen Tag, Sir", erwiderte der Angestellte steif.

Als Thordric wieder am Revier ankam, befand sich der Inspector in seinem Büro. Er war in ein Buch vertieft, das die neuesten Pläne des Rats der Magier detailliert darstellte, durch Magie bewegte Kutschen. Er hatte nicht bemerkt, dass Thordric eingetreten war.

„Inspector?", sagte er leise.

Der Inspector sprang auf, fiel fast von seinem Stuhl, und sein Schnurrbart kräuselte sich wieder nach oben bis zu seinen Nasenlöchern. „Thornal!", sagte er außer Atem. „Weißt du denn nicht, wie man anklopft?"

„Tut mir leid, Sir - ich meine, Inspector. Ich dachte, Sie würden gerne erfahren, dass alle Aufgaben, die Sie mir aufgetragen haben, erledigt sind." Er gab dem Inspector die aktuelle Ausgabe der *Jard Town Gazette*.

„Ja, ja, mach schon weiter", sagte der Inspector. „Hat dir die Bank etwas für mich gegeben?"

„Oh ja, Sir - Inspector. Ähm ... hier." Er gab dem Inspector das rosa Stück Papier. Der Inspector schnappte es sich und faltete es auf, seine Augen glitzerten. Thordric beobachtete, wie sie beim Lesen von rechts nach links wanderten, und bemerkte, wie sein Schnurrbart von Sekunde zu Sekunde widerspenstiger wurde.

Der Inspector knüllte das Papier zusammen und warf es in den Papierkorb, während er etwas murmelte, das verdächtig nach „fehlende Mittel" klang.

Es klopfte heftig an der Tür und ein Constable kam herein, bevor der Inspector auch nur reagieren konnte.

„Inspector, wir haben gerade einen dringenden Anruf vom Rat der Magier erhalten. Es war Hochmagier Kalljard, Sir."

„Ja? Was ist mit ihm?"

„Er ist tot, Inspector."

„Tot? Aber ... Aber ... *tot*? Sind Sie sicher?", sagte der Inspector. Sein Schnurrbart war vollkommen gerade und Thordric erschien es, als sei er mehrere Stufen blasser geworden, als er es normalerweise war.

Der Constable senkte seine Stimme. „Nun ja, er war mehr als tausend Jahre alt, Inspector. Es musste irgendwann passieren."

„Was ist mit seinem Trank der ewigen Jugend?"

„Vielleicht haben die Dinge am Ende einfach ihren Lauf genommen", zuckte der Constable die Schultern.

Der Inspector seufzte. „Ich glaube, Sie haben recht. Ich werde am besten hinfahren, mir ansehen, was geschehen ist, und mein offizielles Beileid ausdrücken", sagte er. Er stand auf und zog seine Jacke an, während er sie schnell glatt strich. Er bedeutete dem Constable zu gehen und dann wendete er sich an Thordric. „Du kommst mit mir. Wenn ich dich hier ließe, würde ich bei meiner Rückkehr das ganze Revier wohl in Schutt und Asche wiederfinden.

Thordric kämpfte damit, einen neutralen Gesichtsausdruck zu bewahren. „Wie Sie wünschen, Inspector", sagte er.

Der Inspector erhob eine Augenbraue, da er nicht damit gerechnet hatte, dass Thordric so sanftmütig bleiben würde. Thordric ignorierte das. Der Inspector zuckte die Schultern und verließ mit ihm zusammen das Revier.

Es hatte sich schon eine große Menschenmenge gebildet, als sie zur Residenz des Rats der Magier kamen. Es war ein riesiges, türkises Gebäude in Gestalt einer Mondsichel und trug die schwarzen und silberfarbenen Symbole des Buchs und der Flasche, die alle von ihm erdachten Produkte zierte.

Eine Gruppe stämmiger Constables hielt die Menschenmenge von den Haupttoren fern. Thordric staunte, als er die Menschen beobachtete, wie sie versuchten, sich lauthals zu beschweren, nur um einen flüchtigen Blick ins Innere des Gebäudes zu erhaschen. Einige weinten sogar aufrichtige Tränen über den Tod des Hochmagiers, aber nicht alle waren aus diesem Grund da.

Ein zerknittert wirkender Mann, der einen Zylinder trug und sich sehr bemühte, sein Gewicht zu tragen, wartete auf den Inspector. „Inspector!", sagte er, als er herbeilief und einen Notizblock und Stift hervorzog. „Was halten Sie vom plötzlichen Tod des Hochmagiers?"

Der Inspector fluchte leise in sich hinein. „Macks! Was machen *Sie* denn hier?"

„Warum, Inspector, das sind große Neuigkeiten, womöglich die größten Neuigkeiten, die es jemals in der Geschichte *aller* Zeitungen gegeben hat! Warum sollte ich nicht hier sein?" Macks kreischte aufgeregt, seine Stimme klang schrill und außer Atem.

Der Schnurrbart des Inspectors rollte sich auf. „Sie verachtenswerte kleine Ratte", sagte er. „Er ist erst vor einer Stunde gestorben und Sie versuchen schon, davon zu profitieren."

„Damit können Sie mich nicht treffen, Inspector", sagte Macks, als er den Fäusten des Inspectors aus dem Weg tänzelte.

Der Inspector knurrte. „Constable!", schrie er den am nächsten stehenden an. „Nehmen Sie diese wandelnde Jauchegrube und werfen Sie ihn in die Zellen, bis ich zurückkomme."

„Ja, Inspector", sagte der Constable und ergriff Macks so fest, dass er sich nicht wehren konnte.

Der Inspector murmelte etwas in sich hinein, während er versuchte, seinen Schnurrbart zu glätten. Die Reihe Constables teilte sich einen Augenblick lang, um ihn und Thordric durchzulassen, und sie befanden sich vor einem Doppeltor, das größer war, als die meisten Bäume, die Thordric bisher gesehen hatte. Der Inspector zog am überdimensionierten Glockenseil und innerhalb von Augenblicken öffneten sich die großen Tore und ließen sie durch.

Ein junger Magier in einem bodenlangen Gewand hieß sie willkommen. Das Gewand war nicht schwarz, wie Thordric es erwartet hatte, wenn man bedachte, dass jetzt Trauerzeit war. Stattdessen trug er ein glänzendes Flaschengrün.

„Inspector Jimmson", sagte der Magier, während er leicht mit dem Kopf nickte. „Wir heißen Sie in dieser Stunde großer Traurigkeit willkommen." Er bedeutete ihnen hereinzukommen und die Tore schlossen sich schnell hinter ihnen, wodurch nur noch das Licht der blauen Feuer an den Seiten der Wand flackerte.

Thordric war bis dahin unbemerkt geblieben, aber nun wandte sich der Magier neugierig an ihn. „Und wer ist das, Inspector? Wie Sie wissen, haben wir strikte Regeln, wen wir in unsere Mauern lassen."

„Oh, der Junge hier?", sagte der Inspector. „Er ist nur mein Laufbursche. Ich dachte, ich bringe ihn mit, damit er keinen Unsinn anstellt. Taub und stumm, müssen Sie wissen."

Thordric bemühte sich, seinen Kiefer geschlossen zu halten.

„Ich bin nur neugierig. Wie bringen Sie ihn dann dazu, zu tun, was Sie möchten?", fragte der Magier und sah ihn an, als sei er ein Goldfisch in einem Glas.

„Ich schreibe ihm Notizen und er kann bis zu einem gewissen Grad Lippen lesen."

„Kann man ihm vertrauen? Wir beherbergen viele Geheimnisse in diesen Mauern, Geheimnisse, die wir lieber nicht in diesen schrecklichen Zeitungen wiederfinden würden."

„Natürlich, natürlich. Aber ich versichere Ihnen, man könnte den Jungen befragen, bis ihm die Arme abfallen, bevor er auch nur ein Geheimnis preisgibt. Wir haben ihn erst kürzlich hinsichtlich dessen getestet und er hat mühelos bestanden", sagte der Inspector, ohne dass auch nur die Spur einer Lüge in seinem Gesicht zu sehen gewesen wäre. Thordric hoffte nur, dass auch sein Gesicht nicht seine Überraschung über die Worte des Inspectors preisgab.

„Exzellent", erwiderte der Magier viel zu begeistert, um überzeugend zu sein. „Bitte folgen Sie mir dann."

Der Magier führte sie einen langen Korridor hinunter, vorbei an Räumen, aus denen viele merkwürdige Gerüche und Klänge entströmten. Eine Tür war offen gelassen worden, wie Thordric bemerkte, und im Inneren sah er einen hellen weißen Raum, in dem sich Quadrate verschiedener Größen und Formen an den Wänden immer neu anordneten und versuchten, sich zu verbinden. Der Inspektor bemerkte, wie er alles anstarrte, und klopfte ihm mit seinen Knöcheln gegen den Kopf. Das tat weh.

Der Korridor schien sich immer weiter zu erstrecken, aber dann gestikulierte der Magier plötzlich mit seinem Arm. Eine Treppe erschien vor ihnen, eng und sich windend und aus hartem Stein gebaut. Oben gab es eine schmale mit Gold verkleidete Tür, in die das goldene und silberne Emblem des Rats der Magier geprägt war. Der Magier hielt inne, bevor er sie öffnete. „Wir haben den Körper für wichtige Menschen, die ihm die letzte Ehre erweisen wollen, in seinen Gemächern aufgebahrt. Ich muss euch warnen, dass er jedoch im Tode nicht aussieht, wie im Leben. Wegen der Verlängerung seines Lebens durch Magie ist sein Körper viel schneller verfallen, als man es erwarten würde."

Der Inspektor beugte seinen Kopf ernst und der Magier öffnete die Tür. Im Inneren war der Raum mit reichhaltigen

Samtmöbeln in tiefen Rot- und Blautönen ausgestattet und Bücherregale säumten die runden Wände. In der Mitte stand ein großes Himmelbett und auf ihm lag der Körper, bis zum Hals mit Seidenlaken bedeckt.

Thordric atmete scharf ein, als er das Gesicht des Hochmagiers Kalljard sah. Die Haut war hart und lederartig geworden, was seine Oberlippe zu einem verächtlichen Grinsen hochzog und mehrere Goldzähne enthüllte. Sein Haar und sein Bart waren dünn und grau und spiegelten kaum den dicken, strahlenden Zustand wieder, für die sie bekannt gewesen waren. Ein starker moderiger Geruch stieg von ihm auf, obwohl die anderen Magier versucht hatten, ihn durch die Dekoration des Betts mit Blumenblüten zu überdecken.

„Tolle Zaubersprüche!", sagte der Inspector. „Ist das wirklich das Ergebnis seiner verlängerten Jugend?"

„Das vermuten wir, ja", sagte der Magier.

„Wie furchtbar. Ich nehme an, Sie haben keine Ahnung, was ihn getötet haben könnte?"

Der Gesichtsausdruck des Magiers veränderte sich und war nicht zu durchschauen. „Es gab einige Spekulationen. Viele, einschließlich mir, glauben, dass er einfach beschlossen hat, den Trank, der ihn nährte, nicht mehr zu trinken, obwohl es mehrere Wochen gedauert hätte, vollständig aus dem Körper zu verschwinden."

„Also vermuten Sie Selbstmord?", sagte der Inspector, als er aufsah.

„Nun ja, ja, ich nehme an, man würde es wohl so nennen. Jedoch", sagte der Magier, während er seine Stimme leicht senkte. „Andere glauben, dass er dazu gezwungen wurde. Es gab während seiner Herrschaft eine überraschend hohe Zahl von Menschen, die gerne seine Gedanken über Halbmagier herausfordern wollten." Er warf Thordric, der fast über den großen Teppich auf dem Boden gestolpert wäre, einen scharfen Blick zu.

„Sie denken also, er hätte sich wegen ein paar Halbmagiern selbst getötet? Ich hätte nicht gedacht, dass er sich auf ihr Niveau herabgelassen hätte."

„Richtig, Inspector, richtig. Aber *ich* bin es nicht, der so denkt. Nur manche meiner Brüder."

Thordric wechselte unruhig den Platz, um Kalljards eingesunkenes Gesicht anzusehen. Er bemerkte, dass er sehen konnte, wie sich Kalljards Knochen unter den Decken abzeichneten, und musste sich leicht schütteln. Er hatte sich nie bei Toten wohlgefühlt, auch nicht, wenn er seine Mutter besucht hatte, die so friedlich in der Leichenhalle arbeitete. Er wollte sich gerade abwenden, als ihm ein weiterer Geruch in seine Nase stieg. Er war durchdringend und metallisch, wie der Geruch von Rost, aber viel stärker. Er sah sich um, um zu sehen, woher er kam, aber bemerkte etwas Merkwürdiges. Direkt über Kalljards rechtem Ohr und fast von seinem dünnen Haar verborgen, war ein brauner Punkt, fast wie ein Leberfleck, der so perfekt rund war, sodass er wusste, dass es keiner sein konnte. Er erinnerte ihn an die Farbpunkte, die er am Baumstumpf an diesem Morgen geübt hatte, und je mehr er darüber nachdachte, desto überzeugter war er, dass jemand Kalljards Kopf für Zielübungen verwendet hatte.

Mit einem bangen Gefühl ums Herz bemerkte er, dass er viel kleiner und perfekter als seine war - das Werk eines wirklichen Meisters. Vielleicht konnte er nochmals üben, wenn er am Sonntag wieder zu Lizzies Haus ging.

„Wann wird das Begräbnis stattfinden?", fragte der Inspektor und lenkte dadurch Thordrics Aufmerksamkeit wieder auf das Gespräch.

„Unglücklicherweise wird es erst in einer Woche stattfinden. So unerwartet, wie es geschehen ist, hatten wir keine Möglichkeit, das Grab vorzubereiten.“

„Ich verstehe. Nun gut, ich drücke hiermit mein bescheidenes Beileid aus und werde um jeden Preis die Zeitungen heraushalten.“

„Danke, Inspector. Lassen Sie mich Sie herausführen.“

Als sie draußen waren, schlug der Inspector Thordric wieder fest gegen den Kopf. „Was glaubst du, was du da drin tun solltest, du großer Tölpel?“, sagte er zu ihm.

„Was meinen Sie, Inspector?“, sagte Thordric, während er seinen stoppeligen Kopf rieb. Er bemerkte kaum, dass die Menschenmenge verschwunden war und es den Constables überlassen hatte, den ganzen zurückgelassenen Müll aufzusammeln.

„Um die Leiche herumzulaufen, als sei das ein tolles Zirkusspektakel!“, sagte der Inspector. „Wann auch immer du dich außerhalb des Reviers aufhältst, sollst du dich mit der größtmöglichen Würde und Haltung benehmen. Ungeachtet deiner Stellung bist du immer noch ein Mitglied des Reviers und du repräsentierst alles, wofür wir stehen. Benimm dich noch einmal so und nicht einmal deine Mutter wird um Milde bitten können, bei dem, was ich dir dann antun werde.“

Thordric wurde Angst und Bange und er versuchte, eine Entschuldigung zu stammeln.

„Genug von diesem Unsinn. Renn zurück zum Revier und gieß mir einen Tee in die größte Tasse, die du finden kannst, und ich will einen ganzen Stapel Jaffa Cakes dabei.“

Thordric rannte los.

. . .

Nach seiner zwölften Tasse Tee hatte sich der Inspector genug beruhigt, um Thordric zu bitten, seine Mutter zu holen. Er sah Angst in Thordrics Gesicht und versicherte ihm, dass er sie nur über die Leiche informieren wollte. Thordric wollte gerade gehen, als er sich plötzlich an etwas erinnerte.

„Entschuldigung, Inspector, ich hätte Ihnen das schon vorher sagen sollen ..."

„Was ist jetzt schon wieder, Thorndred?", sagte der Inspector müde.

„Es geht um Ihre Schwester, Inspector. Sie hat mich gebeten, ihr jeden Sonntag mit ihrer Hausarbeit zu helfen."

Der Inspector verschluckte sich an seinem Tee. „Lizzie hat dich gebeten, wiederzukommen? Ich hoffte ..." Er hustete furchtbar, als er aus der Rolle fiel. „Ich wollte sagen, ich dachte, sie hätte dich mit einem Besen verjagt, wenn man ihr wenig fröhliches Wesen bedenkt."

„Sie sagte, es wäre ihr in den Sinn gekommen, Inspector", log Thordric. „Aber sie fand, ich hätte ein Talent, Dinge zu reparieren."

„Hm. Nun gut, wenn sie will, dass du wieder zu ihr kommst, sehe ich keinen Grund, warum ich dich nicht lassen sollte."

„Danke, Sir - äh, Inspector", sagte Thordric und lief los zur Leichenhalle.

Seine Mutter war von den Neuigkeiten über Kalljards Tod vollkommen geschockt, war jedoch tief beeindruckt, als Thordric sagte, dass der Inspector ihn mitgenommen hatte, um die Leiche zu sehen. „Er muss wohl anfangen, dir zu vertrauen", sagte sie fröhlich. Thordric hatte nicht den Mut, ihr etwas Anderes zu sagen.

Während der Inspector seine Mutter mit den Einzelheiten der ganzen Sache unterhielt, stand Thordric ruhig an der Wand und wünschte sich, dass es schon Sonntag wäre. Er sehnte sich danach, beweisen zu können, dass Halbmagier, wie alle anderen auch, wertvolle Menschen waren und er wusste, dass Lizzies Training der Schlüssel dazu war. Er konnte es nicht erwarten, den Vollmagiern die Selbstgefälligkeit aus ihren Gesichtern zu verbannen, wenn er seine wahren Fähigkeiten offenbarte. Er konnte das, er wusste, dass er es konnte.

„Gab es etwas Ungewöhnliches an der Leiche? Natürlich außer ihrem mumifizierten Zustand“, fragte seine Mutter den Inspector.

„Maggie! Wie können Sie so etwas fragen? Wir sprechen hier über den Hochmagier höchstpersönlich und nicht über den wilden Haufen, der Ihnen normalerweise in die Hände fällt“, sagte der Inspector.

Thordrics Mutter lachte. „Es tut mir leid, Jimmson, aber ich befürchte, ich lasse mich manchmal zu sehr hinreißen.“

Thordric hörte zu und fragte sich, ob er den merkwürdigen, rostigen Geruch und das Mal auf Kalljards Stirn erwähnen sollte.

VIER
EIN VERDACHT KOMMT AUF

Thordric kämpfte den ganzen Abend mit sich, während er in seinem Zimmer hin und her tigerte. Er fing an, so laut aufzutreten, dass seine Mutter zu ihm hinauf rufen musste, um ihn zum Aufhören zu bewegen. Er wollte es ihr fast schon erzählen, aber seine innere Stimme fing an, ihn zu fragen, *warum er das tun solle*? Schließlich ging es ihn nichts an und falls der Inspector ihn als vertrauenswürdig genug erachtet hätte, ihn in Ruhe zu lassen, hätte er überhaupt nichts gesehen. Aber das hatte er.

Warum dachte er überhaupt darüber nach? Hochmagier Kalljard hatte Halbmagier gehasst und daher hatte Thordric auch ihn gehasst. Warum sollte er sich Gedanken darüber machen, dass sein Tod nicht so war, wie er erschien? *Weil ich anständig bin,* sagte er zu sich selbst. Er war schließlich Mitglied der örtlichen Polizei, auch wenn er nur ein Laufbursche war.

In jenem Moment bemerkte er, dass er schon seine Wahl getroffen hatte, und da er sich jetzt viel weniger schuldig fühlte, ging er nach unten zu seiner Mutter.

„Oh, Thordric", sagte sie, indem sie von ihrem Schreibtisch aus aufsah. „Was hast du da oben gemacht? Ich dachte, die Berge um uns herum wollten schon einstürzen."

„Ich habe nur nachgedacht."

„Worüber?", sagte sie.

„Über Kalljards Leiche", erwiderte er und seine Stimme bebte ein wenig. Er hustete und zwang sie, ihm zu gehorchen.

'*Hochmagier* Kalljard, Thordric. Ja, ich muss sagen, dass ich auch darüber nachgedacht habe. Die Art, wie der Inspector alles beschrieben hat, ließ es faszinierend klingen. Ich würde ihn mir liebend gern selbst ansehen, aus einem professionellen Blickwinkel heraus."

„Ich glaube, das kannst du noch", sagte Thordric, während er hin und her rutschte.

„Was meinst du? Beim offiziellen Begräbnis wird der Sarg geschlossen sein und es ist unwahrscheinlich, dass ich es da hin schaffe, bei all der Arbeit, die ich habe."

„Das ist nicht genau das, was ich meinte. Ich ... ich habe etwas darauf gesehen, während ich mit dem Inspector dort war. Und es gab auch einen merkwürdigen Geruch", murmelte er.

„Leichen *neigen* dazu, zu riechen, Thordric, auch wenn es nur eine Stunde oder so nach seinem Dahinscheiden war."

„Das hier war anders, Mutter. Ich glaube, es war der Geruch von Magie, starker Magie", sagte er ernst.

Sie hob die Augenbrauen an. Sie hasste es, dass er Magie erwähnte. „Nun ja, er war ein Magier, Thordric. Falls überhaupt jemand nach Magie riecht, würde ich vermuten, dass er es ist."

„Nein, Mutter, hör zu, was ich dir sagen möchte. Da war ein brauner Punkt direkt über seinem Ohr und von dort kam der Geruch. Der Rest von ihm roch einfach nur alt und muffig. Der Punkt sah aus, als sei er durch Magie verursacht worden."

Sie setzte sich auf und Thordric wusste, dass er etwas

Falsches gesagt hatte. „Woher weißt du, dass er durch Magie dorthin gekommen ist?", sagte sie mit kalter Stimme.

Thordric antwortete nicht.

„Thordric?", sagte sie, wobei ihre Stimme eine Oktave höher klang. Er sagte immer noch nichts. Das brauchte er auch nicht, denn sie hatte es schon erraten. „Thordric Manfred Smallchance! Du hast versucht, Magie anzuwenden, oder nicht? Sag mir sofort, warum!"

Er gab auf und erzählte es ihr. „Aber du hättest dich verletzen können ... oder Schlimmeres!", krächzte sie.

„Ich war nicht in Gefahr, sie hätte es mich nicht tun lassen, wenn es so gewesen wäre."

„Sie? *Sie?* Wer ist diese *sie?*"

„Die Schwester des Inspectors", sagte er und erzählte ihr alles, wie der Inspector ihn dorthin geschickt hatte, um bei der Hausarbeit zu helfen.

„Lizzie? Warum ... sie ... ich...", sagte sie aufgeregt. „Aber sie ist so eine vornehme Dame, ich kann mir nicht vorstellen, dass sie es überhaupt in Betracht gezogen hat, einen Halbmagier zu heiraten, ganz zu Schweigen davon, meinem Sohn so etwas beizubringen, so ..." Ihre Stimme brach ab, während sie um Worte kämpfte. Plötzlich stand sie auf und holte schnell ihren Mantel vom Kleiderhaken. „Ich werde ihr zeigen, was sie dich lehren kann", knurrte sie, während sie ihn am Kragen packte und mit ihm aus der Tür ging.

Es war schon dunkel und lila Feuer hingen in der Luft, sodass sie Licht hatten. Thordric hielt trotz des klammernden Griffs seiner Mutter an, um sie sich anzusehen. Sie waren beim letzten Mal, als er so spät noch draußen gewesen war, gelb wie normales Feuer gewesen. Diese neue Regenbogenmagie machte wirklich Schule.

Seine Mutter ließ ihn nicht lange herumtrödeln, da sie ihn fester packte, als dachte sie, er könnte weglaufen.

In diesem Tempo erreichten sie Lizzies Haus kurz vor Mitternacht. Trotz, dass es spät war, öffnete sie die Tür vollständig angezogen und ohne auch nur den Hauch einer Überraschung. Thordric seufzte, als er sah, dass sie ihr Haar wieder in einem festen Knoten zurückgebunden hatte. Sie war wieder im Lehrerinnen-Modus.

„Warum, Maggie", sagte sie zu seiner Mutter. „Es ist so lange her, kommt doch bitte rein." Sie trat zur Seite, sodass sie durchgehen konnten, und erwiderte den Blick ihrer Mutter, als sei es eines der wärmsten Lächeln der Welt. „Hallo, Junge. Ich hatte nicht erwartet, dich so schnell wiederzusehen, wenn man all die Aufgaben beim Rat bedenkt."

Thordric murmelte eine Begrüßung zurück und sah seine Mutter an, um zu sehen, ob sie wieder zu schreien anfangen würde, aber sie war von Lizzies Begrüßung zu überrascht, als dass sie überhaupt etwas sagen konnte. Lizzie führte sie in die Küche, wo der Kessel schon auf dem Herd stand. „Ich nehme an, du nimmst noch Milch und ein Stück Zucker, Maggie?", fragte sie.

„Ja ...", begann Thordrics Mutter, aber Lizzie sprach schon wieder.

„Ich weiß, warum du hier bist, Maggie. Du bist gekommen, um mir zu sagen, wie böse ich bin, Thordric beizubringen, wie er seine Magie kontrollieren und benutzen kann."

„Ja", sagte seine Mutter leise, da sie ihre Wut verloren hatte.

Lizzie gab beiden Tee und bot ihnen den Rest Kuchen an, den sie vorher gebacken hatte. „Hast du jemals daran gedacht, Maggie, dass all dieser Unsinn über Halbmagier, den der Rat verbreitet, genau das ist - Unsinn?" Sie hielt inne und nippte an ihrem Tee. „Halbmagier sind wegen ihrer Eltern nur halb. Das bedeutet nicht notwendigerweise, dass ihre Magie schwächer ist als die von Vollmagiern. Dein Junge hier hat vermutlich Kräfte, die denen der unteren Ränge des Rates entsprechen."

„Aber jeder weiß, dass die Magie von Halbmagiern am Ende scheitert. Das ist in der ganzen Geschichte dokumentiert", sagte seine Mutter.

„Ja, das Scheitern ist in der Tat gut dokumentiert. Was ausgelassen wurde ist, wie viele Halbmagier es wirklich geschafft haben, ihre Kräfte erfolgreich zu benutzen."

„Was meinst du mit wie vielen? Halbmagier sind selten. Die dokumentierten waren zu jener Zeit die einzigen."

„Ach, sei doch nicht so naiv, Maggie! Halbmagier sind überall, aber sie haben zu viel Angst, ihre Magie auszuprobieren, da ihnen von Geburt an jeder sagt, dass sie zum Scheitern verdammt sind. Thordric hier hat enormes Potenzial, aber wenn er kein Chaos veranstalten will, muss er trainiert werden."

Thordric spitzte die Ohren. „Sie ... Sie denken, ich habe Potenzial?", sagte er.

„Natürlich tue ich das, Junge. Andernfalls würde ich mich nicht mit dir beschäftigen Du hattest so viel aufgestaute Magie, dass es nur eine Frage der Zeit gewesen wäre, bevor du zufällig ein Desaster veranstaltet hättest."

„Aber das beweist doch die Theorie des Rats der Magier!", platzte es aus seiner Mutter heraus. „Die Magie von Halbmagiern ist gefährlich."

Lizzie knallte ihre Teetasse auf den Tisch, wodurch sie Tee und Kuchenkrümel überall verstreute. „Margaret Smallchance", brüllte sie. „Hör auf zu glauben, was der Rat sagt und benutze dein eigenes Gehirn. *Alle* Magie kann ohne richtiges Training gefährlich sein. Mein armer Mann hat die meiste Zeit seines Lebens damit verbracht, seine Kräfte zu vervollkommnen und sie zu benutzen, ohne Schaden anzurichten. Vollmagier müssen das nicht tun. Ihr Training beginnt schon im Kleinkindalter und sie müssen niemals solche Risiken auf sich nehmen wie er. Verstehst du jetzt? Die Magie von Halbmagiern scheitert nur, weil sie nie die Chance erhalten, so wie Vollmagier zu trainieren."

Sie sank wieder in ihren Stuhl zurück und zog wieder ein Taschentuch hervor, um ihre Augen zu trocknen. Thordrics Mutter saß mit offenem Mund da. Nach einem Augenblick schaffte sie es, sich zu räuspern. „Ich, ähm ... so habe ich noch nie darüber nachgedacht. Glaubst du wirklich, dass Thordric so gut wie ein Vollmagier werden kann?", sagte sie.

„Oh, Maggie, wach auf", sagte Lizzie, indem sie sich wieder aufsetzte. „Thordric muss nicht so gut wie ein Vollmagier sein. Er kann so gut wie ein Halbmagier sein."

Als sie das sagte, erschienen zwei große Tränen in den Augen seiner Mutter und sie fing auch zu weinen an. „Es tut mir so leid, Thordric", sagte sie. „Bitte nimm meine Billigung deines Magieunterrichts entgegen."

Thordric fiel vom Stuhl. „D ... du stimmst zu? Wirklich?" Er stand auf und rieb seine Seite. Seine Mutter neigte ihren Kopf und ein riesiges Grinsen lief um ihr Gesicht. Er nahm sie fest in den Arm, und auch Lizzie, bevor er wieder durch die Küche tanzte. Irgendwie hatte der Kupferkessel seine Rolle als Tanzpartner wieder eingenommen. Dann, in einem Moment der Klarheit, ließ er den Kessel gehen und ignorierte den Schmerz, als er auf seinen Fuß fiel. Er musste Lizzie von Kalljard erzählen!

Vor Aufregung stotternd erzählte er seine Geschichte, wie er losging, um die Leiche zu sehen, und von dem merkwürdigen Geruch, der aus dem Fleck entströmt war. „Der Fleck war genauso wie die, die ich auf den Baum malen sollte, Lizzie, er hatte nur eine andere Farbe", sagte er.

„Bist du dir sicher?", fragte sie.

„Ja, aber er war raffinierter als meine."

„Gut, gut, gut“, sagte sie, während sie mit ihrer Gabel auf ihre Wange schlug. „Maggie, ich glaube, du bringst den Inspector besser dazu, dir die Leiche freizugeben. Es scheint schließlich ein böses Spiel getrieben worden zu sein.“ Sie ließ plötzlich ein mädchenhaftes schrilles Lachen vernehmen. „Wie aufregend!“

Am nächsten Morgen erschien Thordric mit seiner Mutter an seiner Seite im Büro des Inspectors. Während sie den sich kräuselnden Schnurrbart des Inspectors ignorierten, erklärten sie, was Thordric an Kalljards Leiche gesehen hatte.

„Ich muss das untersuchen, Inspector. Nur um sicherzugehen“, sagte Thordrics Mutter.

„Ich weiß nichts darüber, Maggie. Wie können wir sicher sein, was er gesehen hat?“, erwiderte er.

„Er würde nicht lügen, Inspector.“ Sie hielt inne. „Bitte, Jimmson, tun Sie mir den Gefallen. Wir müssen es schließlich wissen.“ Sie klimperte ihm mit ihren feinen Wimpern zu und er rutschte angespannt auf seinem Stuhl herum. Thordric versuchte nicht zu kichern.

„Ich ... ich werde sehen, was ich tun kann“, erwiderte der Inspector schließlich. „Aber ich kann nichts versprechen, Maggie. Sie werden uns den Körper nicht gerne übergeben.“ Er stand auf, zog seine Jacke und seinen Mantel an, während er wieder seinen Schnurrbart glättete. „Ich werde am besten mal rübergehen“, sagte er.

„Oh, wir kommen mit Ihnen, Inspector“, sagte Thordrics Mutter. Der Schnurrbart des Inspectors stellte sich bei ihren Worten wieder hoch. „Ich bin schließlich die offizielle Pathologin. Es würde sehr verdächtig aussehen, wenn ich nicht zugegen wäre. Und Thordric war beim letzten Mal dabei, also könnten Sie ihn dieses Mal auch wieder mitnehmen.“

„Schön“, sagte der Inspector. „Aber überlassen Sie mir das Sprechen.“

„Ich muss Sie warnen, Inspector, dass dies höchst unangemessen ist“, sagte der Magier, der sie zuvor herumgeführt hatte. „Wir werden die Gründe hören müssen, auf denen Sie Ihre wenig durchdachte Theorie aufbauen!“

Sie waren in der Eingangshalle des Rates der Magier. Niemand würde sie ohne Erklärung weiter hinein gehen lassen. Zumindest die Hälfte aller Mitglieder stand um sie herum und Thordric konnte fast schon ihre Wut spüren.

„Beruhigen Sie sich“, sagte der Inspector. „Wir müssen einfach nur eine kleine Obduktion durchführen, um die wirkliche Todesursache zu finden. Ich weiß, dass das gegen ihr normales Protokoll verstößt, aber die Umstände waren wirklich ungewöhnlich.“

„Unsinn! Es gab nichts Ungewöhnliches an seinem Tod“, sagte der Magier. „Er hatte einfach nur das Gefühl, lange genug gelebt zu haben und dachte, es sei nun an der Zeit für seinen ewigen Schlaf.“

Hierauf trat ein anderer Magier aus der Menge vor und legte eine Hand auf seine Schulter, er war einen ganzen Kopf größer als sein Freund. Er sah den Inspector feierlich an und seufzte. „Es ist dennoch merkwürdig, dass seine Hochwürden uns nicht über seine Entscheidung informiert hat. Auch du kannst das nicht bestreiten, Rarn“, sagte er. „Wenn der Inspector hier glaubt, dass das genügend Grund für die Eröffnung einer Ermittlung bietet, dann müssen wir das akzeptieren.“ Er wendete sich an den Inspector. „Verzeihen Sie mir, Inspector. Ich bin Magier Vey, einer der Kandidaten für das Amt des Hochmagiers. Ich befürchte, meine Brüder sind sehr in ihrer Meinung festgelegt. Vielleicht können wir zusammen Mittag essen und das Thema weiter besprechen?"

„Das wäre wunderbar", sagte Thordrics Mutter, indem sie mit einem kleinen Knicks vortrat. Der Inspector fing den Blick auf, den sie Magier Vey zuwarf und sein Schnurrbart begann, sich zu sträuben. Er verneigte sich steif und bedeutete Thordric, es ihm nachzutun. Vey klatschte in die Hände, was die wütende Menge Magier auseinander trieb und ignorierte ihre unfreundlichen Kommentare.

Er führte sie den Korridor hinunter und bog scharf links in einen anderen Korridor ab, was sein schulterlanges Haar zur Seite schwanken ließ. Thordric hatte die tief liegende Vermutung, dass sich das Gebäude nach seinem Willen veränderte, denn er hatte zuvor sicherlich keinen Korridor bemerkt, der nach links führte.

Der Korridor war etwas heller als der vorherige, und die an den Wänden hängenden Feuer waren angenehm rosa. Es gab keine Türen an den Seiten, um sehen zu können, was gerade geschah, es war einfach nur ein langer, gerader Weg, der leicht nach oben anstieg.

Gerade als Thordrics Füße anfingen, weh zu tun, kamen sie an eine mit Ornamenten verzierte Tür, die einen Kirschbaum in voller Blüte zeigte. Magier Vey öffnete sie und Thordric blinzelte. Genau der gleiche Kirschbaum war nun in Realität vor ihnen zu sehen. Sie befanden sich im Garten des Rates und er musste zugeben, dass er sogar noch schöner war, als die Gerüchte besagten.

Obwohl der Kirschbaum im Mittelpunkt stand, umgaben auch andere Bäume den Bereich, die genauso schön aussahen. Thordric konnte nicht anders, als sie anzustarren, während Vey sie zu einem großen, eiförmigen Tisch aus Rosenquarz führte. Er setzte sich und bemerkte einen Baum direkt gegenüber. Er hatte einen blauen Stamm und hellgelbe Blätter. Der daneben war lila und hatte überhaupt keine Blätter. Stattdessen waren die Äste mit weich aussehendem Fell bedeckt. Er fand schnell heraus, dass der Kirschbaum der einzig normale Baum im ganzen Garten war.

„Sie werden mir den langen Weg hierher vergeben, oder nicht?“, sagte Magier Vey, während er Thordrics Mutter und dem Inspector ein Glas prickelnden weißen Saft einschenkte, der aus einer Frucht hergestellt wurde, die die Kraft besaß, sofortiges Kichern bei allen unter zwanzig Jahren hervorzurufen. Thordric legte die Stirn in Falten, da ihm nur Wasser serviert wurde.

„Warum denn nicht, natürlich“, sagte Thordrics Mutter strahlend. Der Inspector musste schnell seinen Schnurrbart mit seinen Händen bedecken, um zu verhindern, dass sie sah, wie er sich bis zu den Nasenlöchern hinaufbog.

„Wir haben nur selten Gäste, ich habe es nur als richtig empfunden, Sie hierher zu bringen“, fuhr Vey leicht lächelnd fort, sodass sich sein kurzer Bart in der Mitte teilte. „Aber es scheint mir immer noch eine Schande zu sein, dass wir über ein solch makabres Thema sprechen müssen.“

Sein Schnurrbart hatte sich wieder geglättet und der Inspector fing an zu sprechen. „Makaber hin oder her, es ist von höchster Wichtigkeit. Ich bin sicher, dass es Ihren Brüdern viel besser gehen würde, wenn sie die wahre Todesursache kennen würden.“

Ein junger Magier mit zitternden Händen erschien hinter einem der merkwürdigeren Bäume, er balancierte vier Schalen auf seinem Arm. Er servierte sie schnell und Thordric fand zu seiner Freude heraus, dass die Vorspeise eine der besonderen Regenbogensuppen war, die kürzlich erfunden worden waren. Jedes Mal, wenn er seinen Löffel eintauchte, veränderte sie ihre Farbe, obwohl der Geschmack, sehr zu seiner Enttäuschung, gleich blieb.

„Erzählen Sie mir", sagte Vey. „Was genau ist es, das Ihnen solche Sorge bereitet? Rarn sagte mir gestern, dass Sie sich die Leiche kaum angesehen haben, außer Ihr die letzte Ehre zu erweisen. Er erwähnte auch, dass Ihr Laufbursche jedoch sehr neugierig gewesen sei." Er sah Thordric interessiert an und Thordric öffnete seinen Mund, um zu sprechen, erinnerte sich aber daran, dass der Inspector gesagt hatte, dass er taubstumm sei. Jedoch war Vey die Bewegung nicht entgangen.

„Was hast du gesehen, Junge? Hab keine Angst zu sprechen", sagte er. Er schien so viel vertrauenswürdiger zu sein als die anderen Magier, die Thordric getroffen hatte, dass er nicht zögerte.

„Ein kleiner Punkt hinter seinem Ohr, sagst du?", sagte Vey danach. „Ja, ich gebe zu, dass Magie manchmal so ein Zeichen hinterlässt. Aber warum jemand Magie an Hochmagier Kalljard praktizierte, kann man nur vermuten."

Der Inspector fiel ihm ins Wort. „Wir glauben, dass es etwas mit seinem Tod zu tun hat. Es hört sich doch sehr nach einem Zielzeichen an", sagte er.

Veys Augen weiteten sich. „Sie wollen sicherlich nicht sagen ..."

„Ich befürchte, doch", sagte der Inspector. „Meine Pathologin und ich glauben, dass Hochmagier Kalljard ermordet wurde."

FÜNF

DER GERUCH DER MAGIE

Magier Vey saß blinzelnd da. Seine Suppe war unberührt und kalt im Teller, während er in sich aufzunehmen versuchte, was ihm der Inspector gerade gesagt hatte. Thordric hatte nicht daran gedacht, wie sehr es alle schockieren würde zu sagen, dass Kalljard ermordet worden war. Wer wäre mutig genug, das zu tun, und warum? Hochmagier Kalljard war *der* mächtigste Magier der ganzen Geschichte gewesen.

„Was ... was muss nun getan werden?", sagte Vey nach einem Augenblick.

„Nun, wie wir zuvor ihm gegenüber sagten ... ähm ... ich glaube Rarn, sagten Sie? Ja, nun, wie wir ihm gegenüber schon sagten, müssen Sie die Leiche unserer Pathologin hier übergeben, sodass sie einen offiziellen Bericht anfertigen kann", sagte der Inspector.

Vey seufzte: „Schön. Aber das wird ein paar Stunden dauern, da der gesamte Rat dem zustimmen muss, bevor ich es tun kann."

„Glauben Sie, Sie können es allen erklären?", fragte der Inspector, während er eine Augenbraue erhob.

„Darüber habe ich keine Zweifel. Ich bin mir sicher, dass, sobald ich die Situation erkläre, sie nur allzu gerne herausfinden wollen, wer der Mörder ist", sagte Vey mit Überzeugung.

„Aber Sie verstehen, natürlich, dass, falls er wirklich durch Magie getötet wurde, das den ganzen Rat zu Verdächtigen macht?", sagte der Inspector.

„Ja, Inspector, der Gedanke kam mir auch schon", erwiderte Vey. „Das wird, falls es stimmt, für alle ein Schlag ins Gesicht sein. Unsere ganze Lebensweise wird sich verändern, falls die Menschen anfangen, an uns zu zweifeln."

Der Inspector erhob sich, reichte Thordrics Mutter die Hand, um ihr beim Aufstehen zu helfen, während er unbemerkt Thordric ans Schienbein trat, dass er aufstehen solle. „Wir werden diskret sein, Magier Vey. Wenn es jemand aus dem Rat ist, werden das die Zeitungen nie herausfinden."

„Danke, Inspector. Und danke, junger Mann, dass du es ausgesprochen hast. Hättest du es nicht getan, wären wir alle getäuscht worden." Vey hielt Thordric seine Hand hin, der sie trotz des stechenden Schmerzes, der ihn durchfuhr, als sich ihre Hände berührten, respektvoll schüttelte. Es war vermutlich nur seine Magie, die mit Veys zusammentraf. Zumindest hoffte er das.

Als sie wieder zurück im Revier waren, schickte der Inspector zwei Constables aus, Macks zu finden, den Reporter, mit dem er am Tag zuvor aneinander geraten war. Da er keinen Grund hatte, ihn einzusperren, war er gezwungen gewesen, ihn gehen zu lassen, aber durch all die neuen Entwicklungen wollte der Inspector Macks dort haben, wo er ihn im Auge hatte.

Thordric widmete sich wieder seinen gewöhnlichen Pflichten und kochte dem Inspector gerade frischen Tee, als die

Constables mit Macks zurückkamen, der sich in ihren Armen wand. „Ich sage Ihnen, Sie haben kein Recht, das zu tun! Was glauben Sie, mir vorwerfen zu können, hm?", hörte Thordric ihn sagen. Der Inspector musste ihn wohl ebenfalls gehört haben, denn er kam mit einem so großen Grinsen aus seinem Büro, dass es seinen Schnurrbart verdeckte.

„Ach, Macks, es ist so schön, Sie zu sehen", sagte er und wippte auf seinen Absätzen. „Ich befürchte, dass Ihre kaltherzige Zurschaustellung des Todes des Hochmagiers Ihnen ein wenig mehr Zeit in den Zellen verschafft hat."

„Was für ein Haufen Unsinn! Sie können mich deshalb nicht hier behalten! Deshalb mussten Sie mich gestern freilassen", sagte Macks, der sich immer noch wehrte.

„Da bin ich anderer Ansicht. Ich habe gehört, dass Sie herumgeschnüffelt haben, um einen Blick auf die Leiche zu erhaschen, um in Ihrem schrecklichen Blatt darüber schreiben zu können. Eine solche Respektlosigkeit gegenüber dem Vorsitzenden des Rates der Magier lässt mir keine andere Wahl, als Sie bis nach dem Begräbnis einzusperren. Schließlich gibt es Gesetze, die sich mit *öffentlicher Gefahr* befassen", schmunzelte der Inspector.

Macks zeigte dem Inspector eine unhöfliche Geste, die ihm einen heftigen Tritt gegen die Rückseite seines Knies einbrachte, der ihn krachend zu Boden schickte. Der Inspector kicherte und bedeutete den Constables, Macks in die Zellen hinunter zu bringen. Thordric beobachtete, wie sie gingen, und vergaß ganz den Tee, den er gerade kochte. Der Inspector sah ihn.

„Thornby, hör auf zu glotzen", sagte er.

Thordric sah unter sich und bemerkte, dass der Tee nun fast dreimal so stark war, wie ihn der Inspector eigentlich mochte. Er stöhnte und goss ihn aus, um wieder von vorne anzufangen. Als er schließlich fertig war, brachte er ihn mit einem großen Teller Jaffa Cakes ins Büro des Inspectors und stellte alles auf den Tisch. Der Inspector sah einmal anerkennend auf und schickte Thordric mit einem Winken an die gegenüberliegende Wand, wo er immer stand, wenn er gerade keine Aufgabe hatte.

Er beobachtete den Inspector, wie er einen der Jaffa Cakes in seinen Tee tauchte, fluchte, als jemand an die Tür klopfte, und er sank auf den Boden der Tasse hinab.

„Kommen Sie schon", sagte der Inspector, während er mit seinen Fingern in der Tasse herumfischte. Ein Constable trat ein und wartete geduldig, während der Inspector den triefenden Jaffa Cake herausholte und ihn aß.

„Was ist, Constable?", fragte der Inspector.

„Wir haben gerade von Magier Vey gehört, Inspector. Er hat es geschafft, die Billigung aller Mitglieder des Rats zu erhalten und unterschreibt gerade in diesem Moment das Freigabeformular.

„Hervorragend! Thorsted, geh und sag deiner Mutter, dass sie die Leiche in Kürze bekommen sollte."

Thordric zögerte nicht. Er verließ das Büro, eilte an den Schreibtischen der Constables vorbei und ging hinaus in die helle Nachmittagssonne. Er erzitterte. Trotz der Helligkeit hatte der Winter angefangen, sich durch einen kalten Windhauch anzukündigen.

Er rannte zur Leichenhalle und kam dort mit einer merkwürdigen Mischung aus Schweiß und tauben Gliedern an. Seine Mutter saß in ihrem Büro und schrieb eifrig an einem Bericht.

„Hallo, Thordric", sagte sie, indem sie aufsah und ihren Stift zur Seite legte. „Ich kann nur vermuten, dass du gekommen bist, um mir zu sagen, dass ich bald den Körper bekomme.“ Thordric nickte und sie hörten ein Klopfen an der Haupttür. „Anscheinend *sehr* bald“, sagte sie. „Lass sie rein, während ich meine Ausrüstung aufbaue.“

Er öffnete die Tür und fand vier Mitglieder des Rats der Magier vor, die ihn persönlich ablieferten. Sie hatten ihn in ein dunkellila Laken gehüllt, das ihn vollständig bedeckte, und ihn auf eine Glasbare gelegt. Er fragte sich, warum sie niemand gesehen hatte, wie sie ihn hierher brachten. „Versuchen Sie bitte, den Körper seiner Hochwürden nicht zu sehr zu beschädigen“, sagte einer von ihnen, während er Thordric einen argwöhnischen Blick zuwarf.

„Machen Sie sich keine Sorgen, Gentlemen“, sagte seine Mutter, während sie quer durch den Raum in ihre Richtung schwebte. „Ich werde so sanft sein, wie ich nur kann.“

Sie legten den Körper auf die Arbeitsplatte und drängten sich aus dem Gebäude heraus. Thordric schloss hinter ihnen die Tür, drehte sich um und sah, wie seine Mutter vorsichtig das Laken entfernte. Es ließ sich leicht wegziehen und sie atmete tief ein, als das Gesicht freigegeben wurde. Man hatte den Körper in ein einfaches weißes Gewand gehüllt, das sie ebenfalls entfernte. „Ich wusste, dass sich sein Zustand verschlechterte hatte, aber ich hatte nicht erwartet, dass er *so* aussieht!“, sagte sie ihn anstarrend.

Thordric dachte, er höre ein leichtes Stocken in ihrer Stimme, aber als sie wieder sprach, gab es keine Spur mehr davon. Er vermutete, dass es der Schock gewesen war. „Hat er so ausgesehen, als du ihn gestern gesehen hast?“, fuhr sie fort.

Thordric schwebte von seiner Position neben der Tür heran, um ihn näher zu betrachten. „Ja“, sagte er, irgendwie überrascht, dass sich sein Zustand nicht weiter verschlechtert hatte.

„Falls der Rat Anti-Aging-Tränke herausbringt, erinnere mich daran, sie nicht zu nehmen“, murmelte sie. Sie legte eine

Hand auf den Körper, während sie nickte. „Wie ich vermutet hatte, hat sich seine Haut verhärtet." Sie notierte es auf ihrem Klemmbrett. „Wo hast du gesagt, ist das Mal?"

Thordric zeigte es ihr und sie notierte es wieder. Er konnte immer noch den starken metallischen Geruch von zuvor riechen. Es musste wohl ein sehr mächtiger Spruch gewesen sein.

„Bist du sicher, dass es durch Magie hervorgerufen wurde? Für mich sieht es wie ein normaler Leberfleck aus", sagte sie.

„Ich bin mir sicher. Der Geruch ist auch noch da."

„Geruch? Bist du dir sicher?", fragte sie.

„Ja", sagte er entschieden.

„In Ordnung, ich notiere es. Ich wünschte, ich könnte das Mal mit etwas vergleichen."

Thordric entging ihre Andeutung nicht und konzentrierte seine Kräfte, etwas nervös, dass sie es missbilligen würde, und zeichnete einen roten Punkt auf eine der anatomischen Figuren, die im Raum verstreut herumstanden. Er brachte sie und seine Mutter hielt sie neben das Mal auf der Leiche.

„Nun ja, außer dem Farbunterschied sieht es wirklich schrecklich ähnlich aus. Aber deins ist etwas grober als das hier", sagte sie.

„Es riecht auch nicht so stark", sagte er finster.

Sie ignorierte ihn und machte sich daran, sein Zeichen abzuwischen. Aber es ging nicht. „Nun, das ist ja interessant. Wenn ich seins auch nicht entfernen kann, könnte ich ganz sicher gehen."

Sie versuchte es, zuerst mit Wasser, aber als es nicht funktionierte benutzte sie einige ihrer Chemikalien, einschließlich einiger Säuren. Nichts funktionierte. Das Mal blieb wie unberührt.

„Ich glaube, du hast recht, Thordric. Es wurde wirklich durch Magie dort verursacht." Sie dachte einen Moment lang nach. „Geh zurück zum Inspector und sag ihm, was wir bisher entdeckt haben. Ich mache mit der Obduktion weiter und sehe, was ich noch so finden kann."

Der Inspector schnurrte fast, als er die Neuigkeiten hörte, und war so zufrieden, dass er Thordric den Rest des Tages frei gab. Thordric eilte natürlich direkt zu Lizzies Haus, damit sie ihn weiter unterrichten konnte.

Er fand sie auf ihn wartend auf der Türschwelle. „Ich hatte so ein Gefühl, dass du kommen würdest", sagte sie lächelnd.

Sie führte ihn wieder in die Küche, wo sie direkt noch ein paar Dinge fand, die er reparieren konnte. Als er versuchte, seine Magie am ersten Gegenstand zu benutzen, einem alten Topf, der innen so schwarz war, dass es aussah, als hätte sie Kohle in ihm gelagert, konnte er sich nicht konzentrieren.

Lizzie beobachtete, wie er mit sich kämpfte. Er wurde von Minute zu Minute aufgeregter und gab schließlich auf und warf seine Hände in die Luft. Mit einem Aufschrei bemerkte er, dass er sich selbst an die Decke erhoben hatte, und nun dort oben schwebte, während er sich den Kopf stieß, als er auf und ab schaukelte.

„Es scheint, du hattest einen aufregenden Tag", sagte sie. „Ich hole Kuchen und du kannst mir dann alles erzählen." Sie verschwand in der Vorratskammer und ließ ihn immer noch an die Decke stoßend zurück. Er versuchte, in der Hoffnung dagegen zu drücken, dass ihn das in Richtung Boden schweben lassen würde, aber es ließ ihn nur noch stärker auf und ab schaukeln.

Sie tauchte wieder auf und stellte den Kuchen auf den Tisch, und danach nahm sie ein Seil, das sie unter ihrem Arm trug. Sie warf es zu ihm hinauf und sagte ihm, er solle es um seinen Fuß binden. Das tat er, indem er sich so stark beugte, dass er ihn erreichen konnte, und bemerkte, dass er jetzt auf dem Kopf stand. Ihm wurde schwindlig, da ihm das Blut in den Kopf schoss. Lizzie zog am Seil und er stellte sich wieder auf, während sie ihn langsam näher an den Boden zog. Als er auf dem Boden war, band sie das Seil fest am Tisch fest, falls er wieder wegschweben sollte.

„Dort", sagte sie, als sie sich setzte. „Das war doch nicht so schwierig, oder?"

Nachdem er eine eher große Menge Kekse gegessen hatte, erzählte Thordric ihr alles, was passiert war, seit er und seine Mutter letzten Abend ihr Haus verlassen hatten. Ihre Augen weiteten sich, als er ihr erzählte, wie er zum Mittagessen in den Privatgarten des Rats der Magier eingeladen worden war, und ein Lächeln huschte über ihre Lippen, als er ihr eröffnete, was seine Mutter bisher entdeckt hatte.

„Nun gut, das ist ja eine ziemliche Geschichte", sagte sie, als er fertig war. „Also konntest du eine Markierung ohne zu zögern verursachen? Das ist gut. Es zeigt, dass dein Training anfängt zu wirken." Sie löste das Seil von seinem Fuß und zu seiner Verwunderung konnte er auf dem Stuhl sitzen bleiben.

„Ich schwebe nicht mehr", sagte er.

„Du hast dich jetzt beruhigt, deshalb. Mein Mann hat gelernt, dass Magie immer schwerer zu kontrollieren ist, wenn man seine Emotionen dazwischenkommen lässt." Sie stellte den geschwärzten Topf wieder vor ihn. „Versuch es wieder."

Das tat er. Es funktionierte direkt. Der Topf glänzte, als hätte er ihn stundenlang geschrubbt.

„Gut", sagte Lizzie. „Mach mit dem Rest weiter, ich habe noch etwas zu erledigen. Komm zu mir, wenn du fertig bist." Sie stand auf und verließ den Raum, ließ ihn zurück.

Er biss die Zähne zusammen, als er den riesigen Haufen sah und setzte sich daran, alles nacheinander zu reparieren. Es fing mit jedem Stück, das er reparierte, an einfacher zu werden, und innerhalb einer halben Stunde war er fertig. Er stand mit einem riesigen Grinsen im Gesicht auf und ging los, Lizzie zu suchen.

Sie war in einem der Zimmer oben und hatte ihr Kleid mit einem großen weißen Overall bedeckt. Dosen mit heller Farbe standen zu ihren Füßen und sie hatte einen Pinsel in einer Hand. Die Hälfte einer Wand war hellgrün gestrichen.

„Du bist schon fertig?“, fragte sie.

„Jedes einzelne Teil“, sagte er selbstzufrieden.

„Dann lernst du schnell.“ Sie sah sich im Zimmer um und ihre Augen leuchteten auf. „Glaubst du, du bist gut im Anstreichen?“

„Ich habe Mutter vor ein paar Jahren beim Renovieren geholfen“, antwortete er.

„Gut.“ Sie nahm einen weiteren Pinsel und gab ihn ihm. „Du musst die hintere Wand in diesem Orange streichen“, sagte sie, als sie eine der Farbdosen öffnete. Er tauchte seinen Pinsel ein und wollte gerade anfangen, die Wand zu streichen.

„Oh nein“, sagte sie. „Du musst den Pinsel mit deinen Kräften führen, nicht mit deinem Arm.“

„Ich ... ich kann das?“

„Natürlich kannst du das?“, sagte sie. „Stell dir dein Gehirn nur als zusätzliche Hand vor und spüre das Gewicht des Pinsels.“

Er versuchte es und der Pinsel flatterte ein wenig und fiel dann zu Boden, wodurch er auf den Dielen einen großen orange Klecks hinterließ. „Bist du dir sicher, dass es möglich ist?“, fragte er.

„Ja, ja. Mein Mann hat das immer so gemacht. Versuch aber, den Boden nicht allzu sehr zu bemalen, weil du derjenige sein wirst, der ihn wieder sauber macht.“ Sie drehte sich um und fuhr fort, ihre Wand grün zu streichen.

Er sah seinen Pinsel an, der immer noch schwach auf dem

Boden flatterte, und stöhnte innerlich. Mit einem mächtigen Schub ließ er ihn durch seinen Willen auf Schulterhöhe schweben. Er beobachtete, wie er dort in der Luft stand und versuchte, ihn zur Wand zu dirigieren. Stattdessen kam er auf ihn zu und schlug ihn mit solcher Kraft ins Gesicht, dass er zurücktaumelte und sein Fuß in der Farbdose landete. Lizzie drehte sich um und sah, wie sein Gesicht und sein halbes Bein mit der Farbe bedeckt waren. Sie lachte so sehr, dass ihre Hand schwach wurde und sie ihren Pinsel fallen ließ.

Thordric blickte finster drein und benutzte mit der Farbe, mit der er bedeckt war, dieselbe Technik, die er zur Reinigung der Töpfe benutzt hatte. Er verspürte ein merkwürdiges Gefühl von etwas Hartem und Dünnem, das über sein Gesicht und Bein kratzte, und sah, wie die Farbe von ihm weg zu einem riesigen schwebenden Ball zusammengekratzt wurde. Da er dieses Mal nicht seine Konzentration verlieren wollte, nahm er die Farbdose und hielt sie unter den Ball. Er ließ den Ball los und er fiel mit einem nassen Platschen in die Dose. Er wandte sich dann an Lizzie, die ihn immer noch beobachtete, und machte eine greifende Bewegung mit seinem Arm, wodurch er den Pinsel sich erheben und von seinem Standpunkt aus zurück in ihre Hand schweben ließ.

„Ich sagte doch, dass es möglich ist“, sagte sie. „Du musst nur entschlossen sein.“ Danach gelang es ihm, seinen Pinsel schwebend in der Luft zu halten und er hatte schon den größten Teil der Wand gestrichen, als sie von unten ein Klopfen hörten.

„Wer zur Hölle könnte das sein?“, sagte Lizzie. „Ich erwarte niemanden zu dieser Uhrzeit.“ Sie legte ihren Pinsel ab und zog den Overall aus. „Warte hier“, sagte sie.

SECHS
INOFFIZIELLER POLIZIST

THORDRIC LEGTE DEN PINSEL AB UND VERSCHLOSS DIE Farbdosen wieder mit ihren Deckeln. Nachdem er seine Uniform schnell nach vereinzelten Flecken abgesucht hatte, ging er nach unten, um nachzusehen, warum ihn Lizzie heruntergerufen hatte. Als er die Haustür erreichte, sah er dort einen Constable stehen, der mit ihr sprach. Er sah Thordric ernst an und winkte ihn herbei.

„Der Constable hier sagt, mein Bruder braucht dich im Revier“, sagte Lizzie, bevor der Constable seinen Mund öffnen konnte.

„Dann gehe ich wohl besser“, sagte Thordric. „Ich habe wieder alle Farbdosen verschlossen, Ma‘am, und die Wand sollte bald trocken sein. Bitte fragen Sie einfach, wenn es noch mehr Arbeiten zu verrichten gibt.“ Lizzie erhob ihre Augenbrauen leicht, aber sie wusste, dass er recht hatte, wenn er vor dem Constable formell sprach. Andernfalls würde es mit Sicherheit Fragen aufwerfen.

Der Constable tippte seinen Helm ihn ihre Richtung an und Thordric tat es ihm nach, indem er die Geste mit seinem unbedeckten Kopf nachmachte. Als sie ihr den Rücken zuwendeten schloss sie die Tür, aber er konnte ihre Augen auf sich ruhen spüren. Er fragte sich, ob der Constable ebenfalls spürte, wie sie sie beobachtete, aber falls er das tat, ließ er es sich nicht anmerken. Er sprach während der ganzen Fahrt zum Revier nicht mit Thordric und in Thordrics Körper kribbelte es, weil er wissen musste, warum er gerufen worden war.

Er klopfte an das Büro des Inspectors und trat nach der gedämpften Erwiderung aus dem Inneren ein. Seine Mutter war drin und wartete und der Inspector stand sofort auf und bot ihm einen Jaffa Cake an. Thordric spürte seinen Kiefer herunterfallen. Er nahm es hin, als hätte ihm gerade jemand ein Nugget aus purem Gold angeboten. Der Inspector sah ihm zuerst beim Essen zu, bevor er sich räusperte.

„Es gab ein paar weitere Entwicklungen, von denen ich glaube, dass du sie zur Kenntnis nehmen solltest. Maggie, würden Sie ihn bitte einweihen?"

Thordrics Mutter lächelte. „Nachdem du gegangen warst, Thordric, habe ich an der Leiche eine vollständige Obduktion durchgeführt. Zuerst habe ich nichts Ungewöhnliches gefunden, außer dem Zustand seiner Haut, aber dann habe ich mir den Inhalt seines Magens angesehen. Er war voller Trank."

„Was bedeutet", fuhr der Inspector fort, „dass die Theorie der anderen Magier, dass er keinen getrunken hätte, Unsinn ist."

„Ja, Inspector, ich erinnere mich, dass sie darüber gesprochen haben", sagte Thordric. „Aber wenn er immer noch den Trank eingenommen hat, was hat dann dazu geführt, dass seine Haut so geworden ist?"

„Das", sagte der Inspector, während er auch seinen Absätzen vor und zurück wippte, „ist genau das, was *du* herausfinden wirst."

„Ich? Aber wie?"

„Maggie hier ist überzeugt, dass du an den Kräften, welche auch immer du hast, gearbeitet hast, sodass du sie kontrollieren kannst.“

„Hm ...“

„Keine Sorge, Thordric, er wird dich nicht bestrafen“, sagte seine Mutter.

„Sie hat recht, Thormble, in diesem Moment bin ich nicht am Wie oder Warum interessiert. Offen gesagt, wir hatten noch nie einen Fall wie diesen, und wir glauben ebenfalls, dass das auch auf alle anderen auf dieser Welt zutrifft. Das ist alles eine Nummer zu groß für uns und, obwohl ich mich fast schäme es zuzugeben, wir brauchen jemanden wie dich, um uns zu helfen, herauszufinden, was genau geschehen ist.“

Thordric blinzelte mehrmals. Sie wollten, dass *er* bei den Ermittlungen half? Um seine Magie zu benutzen? Das war unerhört.

„Darf ich mich einen Augenblick setzen, Inspector? Meine Beine scheinen schwach geworden zu sein“, sagte er, als er auf einen Stuhl fiel, bevor der Inspector etwas erwidern konnte.

Der Inspector hustete. „Also, ähm, wie ich gesagt habe. Du sollst als Polizist auftreten, inoffiziell natürlich. Wir dürfen nicht riskieren, dass das in die Zeitungen kommt.“

„Ich dachte, Macks wäre in den Zellen?“, sagte Thordric.

„Das ist er auch.“ Der Inspector nahm sich einen Jaffa Cake und sprach wieder mit vollem Mund. „Aber es sind viele andere Reporter hier, die fast so rücksichtslos sind wie er, und sie würden sich wie ein Löwe auf seine Beute draufstürzen.“

Thordric dachte einen Moment lang nach. „Aber ich habe doch keine Ahnung, was ein Polizist so macht. Wo soll ich überhaupt anfangen?“

„Unsinn, du hast schon angefangen, als du das Mal an Hochmagier Kalljards Kopf gefunden hast. Alles, was du tun musst, ist herauszufinden, welche Art Magie es verursacht hat und ob es einen Einfluss auf seinen Tod hatte. Das sollte einfach sein, falls du *wirklich* Talent hast.“ Als der Inspector das sagte, erhoben sich seine Mundwinkel zu einem Schmunzeln. Er stellte ihn auf die Probe.

„Was ist, wenn ich wieder dort rein muss, um mich in Kalljards Gemächern umzusehen? Sie werden mich nicht reinlassen, wenn sie herausfinden, wer ich bin, und es könnte dort drin tonnenweise Hinweise geben. Magie hinterlässt Spuren, wie ihr wisst“, sagte Thordric.

„Falls das der Fall ist, werde ich dich begleiten und sagen, dass ich es bin, der nach Hinweisen sucht. Du bist schließlich mein Laufbursche und da sie dich zweimal mit mir dort gesehen haben, glaube ich nicht, dass sie dich abweisen werden“, sagte der Inspector.

„Es wird schon gut gehen, Thordric“, sagte seine Mutter, als sie aufstand. „Oh, ich habe den Trank, den ich in Hochmagier Kalljards Magen gefunden habe, in ein Gefäß gefüllt. Du wirst den Rest davon finden müssen, sodass wir bestätigen können, dass es wirklich sein Trank der ewigen Jugend ist.“

„Ich bin sicher, das werde ich ...“, sagte er und hoffte, dass sich seine Unsicherheit nicht in seiner Stimme widerspiegeln würde.

Der Inspector stand ebenfalls auf. „Nun gut“, sagte der Inspector, während sich sein Gesicht vor Mühe verzerrte. „Thor*dric*, du gönnst dir am besten ein wenig Ruhe. Geh jetzt und komm früh wieder hierher, zur Arbeit bereit.“ Dem Inspector war es wirklich ernst: er hatte seinen Namen richtig gesagt.

Als er durch die dunklen Straßen nach Hause ging, dieses Mal von hellgrünen Feuern beschienen, fühlte er sich so leicht, dass er hätte hüpfen können, aber so ein Benehmen würde ihm kaum helfen, ernstgenommen zu werden. Aber sein aktuelles Erscheinungsbild würde das auch nicht, genau genommen.

An jenem Abend, als er vor seinem Spiegel stand, hatte er eine Idee. Wenn er Beulen aus einem Kessel entfernen konnte, konnte er vielleicht auch Haare auf seinem Kopf wachsen lassen. Er stand da, sah sein Spiegelbild an und bemerkte, wie viele Stoppel wieder auf seiner Kopfhaut gewachsen waren und auch die feinen Haare, die seine Oberlippe bedeckten. Er zwang alle durch seinen Willen zu wachsen.

Zuerst einmal passierte nichts, aber dann verlängerten sie sich Zentimeter um Zentimeter. Sie wuchsen bis zur Länge, die er wollte, bedeckten gerade so die Spitzen seiner Ohren und sein Schnurrbart breitete sich ordentlich auf seiner Oberlippe aus. Er zog seine Kräfte zurück, sodass sie aufhörten. Aber das geschah nicht.

Er wollte sie zum Aufhören zwingen, was sie aber nur noch schneller wachsen ließ. Sie wuchsen an seinen Schultern und dann an seiner Taille vorbei, ohne Anzeichen, dass sie aufhören würden. Er geriet in Panik.

Er rannte herum und suchte nach einer Schere oder einem Messer, um sie abzuschneiden. Der Lärm ließ seine Mutter die Treppe hoch rufen, aber als er nicht aufhörte, erschien sie in der Tür.

Zu dieser Zeit war Thordric unter der großen Masse aus Haaren und Schnurrbart kaum noch zu sehen und zuerst schrie sie, da sie dachte, er sei eine Art wildes Tier. Dann erblickte sie eine seiner Hände. „Thordric! Was um der Zauberei willen hast du getan?“

„Ich kann es nicht aufhören lassen“, kam die dumpfe Erwiderung.

„Das musst du aber“, sagte sie. „Tu doch vielleicht das, was du zu Anfang getan hast, nur umgekehrt?“

„Es funktioniert nicht!“, sagte Thordric. Seine Füße und Hände waren ganz verstrickt und er konnte sich kaum bewegen. „Stop, stop, STOP!“ Er ließ eine lange Reihe Schimpfwörter folgen, die seine Mutter erblassen ließen. Zu ihrer beider Überraschung funktionierte es.

Thordric ließ einen Seufzer hören und fiel erschöpft zu Boden. Seine Mutter holte schnell eine Schere und schnitt ein Loch um sein Gesicht herum, sodass er richtig atmen konnte.

„Bevor ich den Rest abschneide wäre eine Erklärung ganz gut, glaube ich", sagte sie.

„Ich wollte nur ein paar Haare", klagte er. „Ich wollte respektabel aussehen, wie es ein Polizist tun sollte."

„Oh, Thordric! Es ist nicht dein Aussehen, das dich respektiert sein lässt, es ist das, was du tust. Wenn du willst, dass dich die Leute ernstnehmen, dann musst du ernsthaft handeln."

„Ich weiß ... aber ich glaube, ich sollte zumindest ein paar Haare haben."

Sie dachte einen Moment lang nach. „Nun gut, aber nur solange du sie in Ordnung hältst. Ich werde dich nicht mit so einem Wirrwarr herumlaufen lassen wie du es hattest. Und kein Schnurrbart."

„Aber ..."

„*Kein* Schnurrbart."

„Okay, Mutter ...", sagte er mürrisch. Sie nahm wieder die Schere zur Hand und fing an, die längsten Haarlängen abzuschneiden, wodurch sie die von ihr gewollte Menge zurückließ. Sie schnitt einen Großteil des Schnurrbarts ab und dann zog sie einen Rasierer hervor, sodass er selbst den Rest abrasieren konnte. Er ging zum Badezimmer und kam ein paar Minuten später mit einer mit Schnitten übersähten Lippe zurück. Seine Mutter kannte keine Gnade.

„Das nächste Mal, wenn du eine brillante Idee bezüglich Magie hast, sprich zuerst mit Lizzie darüber. Vielleicht wird es sich dann nicht in eine solche Katastrophe verwandeln."

. . .

Am nächsten Morgen fand sich Thordric, zusammen mit seiner Mutter, in der Leichenhalle wieder und sie untersuchten Kalljards Mageninhalt. Der Trank war noch nicht komplett verdaut worden, und daher war das helle Rosa, das in der Flasche gewesen war, als er sie gefunden hatte, noch vorhanden. Er nahm eine kleine Phiole des Tranks von seiner Mutter und steckte sie mit verzogenem Gesicht in seine Tasche.

„Was hältst du von dem Zeichen?", fragte sie ihn. „Ist es wahrscheinlich, dass es ihn getötet hat?"

Thordric dachte einen Moment lang nach. „Ich glaube nicht. Als ich das Zeichen gemacht habe, um es dir zu zeigen, war alles, woran ich dachte, einen Punkt zu malen oder so etwas. Es ist kein wirklicher Unterschied, jemandem mit einem Stift oder einem Malpinsel einen Punkt zu verpassen."

„Also würdest du sagen, dass es eine Zielmarkierung war?"

„Nun ja, ähm, ich glaube schon. Aber ich muss noch mit Lizzie sprechen, um herauszufinden, ob es möglich ist, jemanden zu töten, indem man ihn nur markiert. Ich weiß noch nicht genug, um sicher zu sein."

„Sorg dafür, den Trank als erster zu finden. Falls sich herausstellt, dass es nicht das ist, was er normalerweise eingenommen hat, dann musst du vielleicht gar nicht erst nach Magie suchen."

Er verließ die Leichenhalle, ging zum Revier zurück und fand dort den Inspector vor, der am Empfang auf ihn wartete, während er seinen Schnurrbart zwirbelte. Seine Augen stürzten sich auf Thordrics neue Frisur und er öffnete seinen Mund, um etwas zu sagen, überlegte es sich dann aber anders. Stattdessen hustete er und sagte, worauf er gewartet hatte, es sagen zu können.

„Ich habe gerade dem Revier angekündigt, dass diese Ermittlung offiziell stattfindet und dass der Rat der Magier ebenfalls darüber informiert wurde. Jetzt wäre ein passender Augenblick, dorthin zu gehen und die Entwicklungen zu erklären, von denen wir wissen."

„Ja, Inspector."

„Übe dich in Zurückhaltung und lass es nicht zu offensichtlich wirken, dass du derjenige bist, der nach etwas sucht." Der Inspector nahm seinen Mantel und sie gingen zusammen zum Gebäude des Rats der Magier hinüber.

Der Magier, der ihnen als Rarn bekannt war, ließ sie wieder ein, obwohl er jetzt viel weniger freundlich war, da er wusste, dass er unter Verdacht stand. Er führte sie wieder durch den Korridor und Thordric bemerkte, dass die Türen jetzt weit offenstanden, sodass sie sehen konnten, dass nichts Böses vor sich ging. Der Rat mochte es eindeutig nicht, verdächtigt zu werden.

Statt sie die Treppe hinauf zum Raum des Hochmagiers zu führen, brachte er sie zur einzigen noch geschlossenen Tür auf der linken Seite. Rarn klopfte höflich und wartete. Die Tür öffnete sich nach einem Augenblick von selbst und Rarn führte sie hinein. Magier Vey saß an einem großen Schreibtisch aus Eichenholz, auf dem Bücher hoch aufgestapelt waren. „Hallo, Inspector. Thordric", sagte er, indem er aufsah. „Rarn, du kannst jetzt gehen. Danke."

Rarn verließ den Raum und Vey bedeutete ihnen, sich zu setzen. „Sie sind offiziell hier, wie ich annehme?", sagte er.

„Das befürchte ich, Magier Vey", erwiderte der Inspector. „Ich muss mich im Raum des Hochmagiers umsehen. Es gibt vielleicht immer noch etwas da drin, das uns verrät, wer dieser Angreifer war."

„Ich verstehe, Inspector. Aber ich muss Sie bitten, dass Sie, wenn möglich, nichts zu bewegen versuchen. Dort drin gibt es Dokumente, die streng in ihrer Reihenfolge bleiben müssen."

„Natürlich. Wir – ich wollte sagen *ich* – werde nichts unnötigerweise durcheinander bringen."

„Sehr schön. Ich bringe Sie hinauf." Er führte sie die Tür heraus und die Treppe hinauf in Kalljards Raum. Sofort wurde Thordric von einem überwältigenden Gefühl machtvoller Magie getroffen. Er fragte sich, wie er das vorher nicht hatte bemerken können, aber dann kam es ihm nur natürlich vor, dass er anfing, nun Magie zu bemerken, da er sie öfter benutzte.

„Nehmen Sie sich so viel Zeit, wie Sie brauchen", sagte Vey, bevor er ging und die Tür hinter ihm schloss. Sie hörte, wie seine Schritte wieder die Treppe hinunter gingen, und als sie sicher waren, dass er wieder in seinem Büro war, begannen sie, sich umzusehen.

„Schon irgendwas bemerkt, Thornaby?", sagte der Inspector, während er sich am Bett umsah. Thordric seufzte. Er hatte gewusst, es würde nicht anhalten.

„Ja, Inspector", sagte er und erzählte ihm von der Magie.

„Ach? Kannst du feststellen, ob sie angewendet wurde, bevor oder nachdem er getötet worden war?", sagte der Inspector, als er nun in einer der Schubladen herumwühlte.

Thordric hatte keine Ahnung. „Ich bin mir nicht sicher, Inspector. Ich werde mit meiner Lehrerin reden müssen und herausfinden, ob man das irgendwie bestimmen kann."

Der Inspector ging und setzte sich aufs Bett. Er nickte zustimmend, während er die Matratze prüfte. „Diese, also deine Lehrerin, ist sie ein – so wie du?"

„Nein, das ist *sie* nicht. Aber ihr Ehemann war es, darum weiß sie so viel darüber."

Der Inspector hob seine Augenbrauen. „Meine Schwester war verheiratet, mit einem – einem wie du. Ich kam selbst nie gut mit ihm klar, aber sie hielt ziemlich viel von ihm, trotz seiner, hm, Fehler. Ich habe ihr immer gesagt ..." Er sah Thordric an und sein Schnurrbart sprang wie ein Eichhörnchen auf. „Sie lehrt es dich, oder nicht?“

„Ja, Inspector“, gab Thordric zu. „Sie sollten nicht wütend auf sie sein, denn sie bringt mir die Magie bei, die ich zur Lösung dieses Falls brauche.“ Er sah auf Kalljards Schreibtisch, als er sprach. Er war voller loser Papiere, auf jedem einzelnen standen Pläne für neue Zaubersprüche und Tränke. Er überflog sie alle, konnte aber nichts Verdächtiges an ihnen finden, außer der Tatsache, dass sie noch nicht unterschrieben worden waren. Als er die Schubladen öffnete, tastete er darin herum, aber es gab überhaupt keine Anzeichen von Flaschen. Wo könnte Kalljard sie versteckt haben?

Er sah sich im Raum um, während er den Inspector ignorierte, der weiter über seine Schwester plapperte. *Dort!* Seine Augen fielen auf den Bettpfosten, direkt über dem Kopf des Inspectors. An ihm gab es einen feinen Umriss, als gäbe es dort ein verstecktes Fach. Der Inspector sah ihm neugierig zu, als er hinüber ging und seine Hand auf das Holz legte. Er tastete nach den Rändern und versuchte, es mit seinen Fingern aufzubekommen. Aber es bewegte sich nicht!

SIEBEN
INTENSIVES TRAINING

Thordric versuchte, das Fach aufzustemmen, indem er aggressiv seine Fingernägel in die Spalten grub. Es öffnete sich aber nicht und er sah sich nach etwas Robusterem um, um es als Hebel benutzen zu können. Er versuchte es mit einigen der Stifte auf dem Schreibtisch und danach mit seinen Hausschlüsseln, aber nichts wollte passen. Er wollte gerade aufgeben, als der Inspector seinen Schnurrbartkamm hervorkramte. Er war dünn und aus Metall, mit Zähnen, die robust genug waren, sich nicht zu verbiegen. Perfekt! Thordric schnappte nach ihm, was dem Inspector seine Finger fast in die eigene Nase trieb, und steckte ihn in die schmale Lücke. Er zog daran, und mit einem leisen Plopp schoß ein Holzwürfel heraus und landete zu seinen Füßen.

An der Stelle, an der er sich befunden hatte, war eine mit silbernen Intarsien verzierte Glasflasche, die noch halbvoll mir rosa Flüssigkeit war. Thordric zog die Phiole mit Kalljards Mageninhalt heraus und hielt sie neben die Flasche. Die Farbe des Tranks passte genau.

„Also hat er ihn immer noch eingenommen", sagte der

Inspector. Er zog eine Augenbraue hoch. „Merkwürdig, dass er keine Magie benutzt hat, um die Flasche zu verbergen."

„Das Gebäude ist voller Magie, Inspector. Ich bin sicher, dass die meisten der Mitglieder leicht ein magisches Siegel brechen könnten und vermutlich nach einem suchen würden."

„Also hat er getan, was sie am wenigsten vermutet hätten, und sie einfach auf normale Art und Weise versteckt? Ein cleverer Mann", sinnierte der Inspector. „Schade, dass sein Mörder nicht auf die gleiche Art gearbeitet hat. Dann müssten wir uns nicht damit herumplagen, herauszufinden zu versuchen, welche Magie wann benutzt worden ist."

Thordric sagte nichts. Er steckte die Flasche und die Phiole in seine Tasche und steckte den Holzwürfel wieder zurück an seinen Platz, da er keine Spuren hinterlassen wollte, dass sie etwas gefunden hatten. Er sah sich noch einmal im Raum um und spürte immer noch die Magie, die dort benutzt worden war.

„Es tut mir leid, Inspector, aber im Moment kann ich hier nichts mehr tun. Ich muss zurückgehen und mit Lizzie sprechen. Es gibt immer noch viele Dinge, die ich lernen muss, bevor ich das hier herausfinden kann."

Der Inspector knurrte. „Nun schön. Zumindest haben wir hier *etwas* gefunden." Er stand auf, während er leise etwas vor sich hin murmelte, das sich für Thordric verdächtig wie „Keine komplette Zeitver ..." anhörte.

Sie verließen den Raum und sahen, dass Magier Rarn unten an der Treppe auf sie wartete. Er sah sie argwöhnisch an, seine Mundwinkel waren nach unten gezogen, aber er sagte nichts. Er führte sie wieder den Korridor entlang und Thordric sah einige der Magier, die in den Räumen gearbeitet hatten, herauskommen und ihnen nachsehen. Er konnte ihre Ablehnung ihm und dem Inspector gegenüber spüren, da sie ihre Art zu leben infrage stellten. Er hatte kein Mitleid mit ihnen.

Sobald sie aus dem Gebäude hinaus waren, spürte er, wie er sich entspannte. Der leichte Wind kühlte sein Gesicht und blies die Intensität der Magie weg, die ihn so sehr beengt hatte. Es kam ihm in den Sinn, wie lächerlich der Rat der Magier eigentlich war. Alles, was sie taten, war Zaubersprüche und Tränke herzustellen, die keinen bedeutenden Nutzen hatten. Keiner von ihnen benutzte seine Magie, um Menschen zu heilen oder beim Wiederaufbau nach einem Feuer oder einem Erdbeben zu helfen. All die Magie, die sie normalen Menschen verkauften, war nutzlos.

Er fand seine Mutter in der Leichenhalle, sie machte sich eilig Notizen zu ihrem letzten Neuzugang. Er schluckte, als er ihr über die Schulter sah, um zu lesen, was sie geschrieben hatte. Er wurde mehrere Farbtöne grüner. Er schüttelte sich, um sich leicht zu erholen, und zeigte ihr die Flasche und die Phiole voller Trank.

„Ah, wunderbar. Aber ich muss sie zuerst filtern, bevor ich mir sicher sein kann“, sagte sie, indem sie sie nahm und den Inhalt jeweils in eigene Teströhrchen goss. Sie etikettierte sie sorgfältig und ging dann zu ihrem Lagerraum, um den Rest ihrer Chemieapparaturen zu holen. „Ich komme schon allein klar. Du kannst zum Inspector gehen und herausfinden, was er als nächstes von dir möchte.“

Thordric ging zum Klang ihrer Absätze, die auf dem gefliesten Boden klackerten, und ging zum Revier zurück. Wie gewöhnlich ging er zum Büro des Inspectors. Er plante, ihn zu fragen, ob er vielleicht zu Lizzie gehen und mit ihr trainieren könnte, aber als er die Tür öffnete, sah er, dass sie auf einem Stuhl dem Inspector gegenüber saß. Sie sah ihn mit einem breiten Lächeln auf ihrem Gesicht an, aber der Inspector hatte kein solches Lächeln für ihn. Thordric wendete sich ihm zu und sah, dass sich sein Schnurrbart wieder zu seiner Nase hochkräuselte.

„Hallo, Junge“, sagte Lizzie. Ihr Dutt war heute größer und nicht annähernd so fest und sie hatte ein Kleid und ein Korsett in Burgunderrot angezogen. Thordric war misstrauisch, dass sie gewusst hatte, dass der Inspector herausfinden würde, was sie heute tun wollte, und war gekommen, um ihm ihren Standpunkt klarzumachen ... Und hatte gewonnen.

„Thormble“, sagte der Inspector mit angestrengter Stimme, während er ihm zunickte, er solle sich setzen. „Ich glaube, du hast meine Schwester Elizabeth schon kennengelernt ...“

„Lizzie“, sagte sie. „Sei nicht so ermüdend, Jimmson.“

Der Inspector funkelte sie an. „... dann eben meine Schwester *Lizzie*. Da sie sagt, sie sei glücklich damit, dich zu unterrichten, und ich keine andere Möglichkeit sehe, diesen Fall schnell zu lösen, gebe ich dir eine Woche lang Urlaub, um zu lernen, was du brauchst, um alles herauszufinden.“

„Eine Woche Urlaub?“ Thordric war so verblüfft, dass seine Stimme als aufgeregtes Plärren herauskam. Er sprang auf und wollte gerade wieder um den ganzen Raum herum tanzen, bemerkte aber den Zustand des Schnurrbarts des Inspectors und setzte sich schnell.

„Du solltest loslaufen und es deiner Mutter erzählen, Junge“, sagte Lizzie. „Und pack auch deinen Koffer.“

„Einen Koffer? Fahren wir weg?“

„Nun, ich kann dir hier in der Stadt nicht beibringen, was du wissen musst, die Leute sind viel zu neugierig. Mein geliebter Ehemann hatte ein Haus nur einen Steinwurf von Watchem Woods entfernt. Dort kannst du perfekt trainieren.“

„W ... wann fahren wir?“, sagte er.

„Heute, sobald du fertig bist“, sagte sie ruhig.

Thordric fiel in Ohnmacht.

. . .

Thordric wachte auf und der Inspector wollte ihm gerade ins Gesicht schlagen. Er setzte sich schnell auf, um ihn aufzuhalten. Der Inspector ließ einen leisen Seufzer hören.

Thordric sah, dass Lizzie immer noch da drüben auf dem Stuhl saß, und auch seine Mutter war da. Sie schien Zeit gehabt zu haben, um nach Hause zu gehen und ihm einen großen Koffer voller Kleidung zu packen, der nun neben ihrem Stuhl stand.

„Thordric? Wie fühlst du dich?", sagte sie zu ihm, während sie ihre Hand auf seine Stirn legte, um seine Temperatur zu fühlen, genauso wie sie es getan hatte, als er noch ein kleiner Junge gewesen war. Er spürte, wie sein Gesicht unter Lizzies und des Inspectors Augen rot wurde und er wischte ihre Hand schnell weg.

„Es geht mir gut ... wirklich ..." Er stand schwankend auf und setzte sich auf einen Stuhl. „Wie lange ...?"

„Nur eine Stunde oder so", warf Lizzie ein. „Ich habe deiner Mutter geholfen, für dich zu packen. Wir dachten, es sei einfacher, dich hier zu lassen, bis wir fertig waren, für den Fall, dass du dich noch mehr aufregst und deine Magie tolpatschig benutzt."

Thordric blickte finster drein. „Dann sieht es wohl so aus, als sei ich komplett fertig. Sollen wir gehen?"

„Nur einen Moment, Thordric", sagte seine Mutter. „Ich dachte, du und der Inspector würdet gerne wissen, dass meine Tests der Tränke mir schlüssige Beweise geliefert haben, dass sie tatsächlich ein und derselbe sind. Ich muss natürlich noch ein paar Tests durchführen, aber ich bin mir ziemlich sicher, dass ich die gleichen Ergebnisse erhalten werde."

„Hmmm", sagte der Inspector, indem er seinen Schnurrbart drehte. „Der Kollege Rarn schien so sehr davon überzeugt zu sein, dass Kalljard aufgehört hätte, ihn zu sich zu nehmen. Vielleicht versuchte er, uns auch davon zu überzeugen."

„Ich bin mir nicht sicher, Inspector", sagte Thordric. „Ich glaube nicht, dass er die Entschlossenheit aufbringen würde, auch wenn er etwas damit zu tun hätte."

„Nun ja, da könntest du recht haben, Thornsby, aber vergiss nicht, dass er ein *Voll*magier ist. Ich bin sicher, dass sich seine Intelligenz und sein Talent in seiner Arbeit zeigt. Ansonsten wäre er nicht im Rat ..."

„Jimmson, du weißt so gut wie ich, dass der Rat *alle* Vollmagier aufnimmt, unabhängig von ihren Fähigkeiten. Ich wette, dass unser Junge hier mehr Talent in einem Nasenloch hat als dieser Magier Rarn", sagte Lizzie.

Der Schnurrbart des Inspectors zuckte. „Wie ich schon sagte, Thornaby, der Punkt ist, dass dir deine Gefühle nicht im Weg stehen. Du musst dir jeden Verdächtigen sorgfältig ansehen und das kleinste Detail bemerken, das vielleicht seine Schuld beweisen könnte."

„Ja, Inspector", sagte Thordric.

„Sehr interessante aufmunternde Worte, das muss ich schon sagen", sagte Lizzie, als sie aufstand und ihr Kleid zurecht strich. „Aber ich fürchte, wir müssen jetzt wirklich los. Du musst jetzt jemand anderen finden, der dir Tee und Jaffa Cakes serviert."

Die Kutsche wackelte heftig, als Thordric und Lizzie zum Haus in der Nähe von Watchem Woods fuhren. Er war noch nie in einer Kutsche gefahren und fand, dass er es überhaupt nicht mochte. Sein Gesicht war blass und Schweiß tropfte seine Stirn herunter. Sein Körper schmerzte so sehr, dass es sich anfühlte, als hätte er Fieber.

„Unsinn", sagte Lizzie, als er es ihr sagte. „Nur ein wenig Reisekrankheit, das ist alles." Weißt du, du *könntest* deine

Magie benutzen, um sie zu lindern. Vielleicht erzähle ich dir, wie es geht, sodass du es für die Rückreise weißt."

Er murmelte eine leise Antwort und drehte seinen Kopf, um aus dem Fenster zu sehen. Sie fuhren an schicken, dreistöckigen Häusern vorbei und der Geruch einer Bäckerei stieg ihm in die Nase. Sie befanden sich im reichen Teil der Stadt, nur ein paar Straßen vom Rat der Magier entfernt. Wie konnten sie so viel Zeit in der Kutsche verbracht haben und sich *immer noch* in der Stadt befinden?

Plötzlich rumpelte die Kutsche über ein Stück Kopfsteinpflaster und er wurde prompt wieder ohnmächtig.

Thordric riss seine Augen auf, als ein lautes, heulendes Geräusch an seine Ohren drang.

Die Kutsche hatte aufgehört sich zu bewegen und er sah, dass Lizzie weg war. Er öffnete die Tür, um auszusteigen, aber er verfehlte den Tritt und fiel nach vorne in eine Pfütze. Er spie das Wasser angeekelt aus und wollte gerade aufstehen, als er das Haus vor ihm sah.

Die Mauern waren aus grauem Stein und es hatte zwei Stockwerke. Was Thordric es am meisten anstarren ließ war aber einfach, wie lang es war. Es hatte die Länge von 20 Kutschen und das war nur der Teil, den er sehen konnte! Der Rest verschwand in den Tiefen des Waldes.

„Ah, junger Herr, Ihr seid wach", sagte der Kutscher, als er Thordric am Boden sah. Er trug eine dicke Lederjacke, die ein Wollfutter hatte, und Lederhandschuhe. Aber er rieb dennoch seine Hände gegen die Kälte aneinander, die Thordric nun spürte. „Bitte sagt der Lady, dass ich jetzt fahre. Ich bin in einer Woche wieder zurück."

Er stieg wieder auf den Kutschbock und benutzte die Zügel

der großen Pferde, die sie zogen. Sie trotteten mit viel Begeisterung von dannen. Thordric sah ihnen nach, wie sie in der zunehmenden Dunkelheit verschwanden, bevor er in Richtung der dicken Holztür des Hauses eilte. Er zog sie auf und taumelte über die Schwelle, als die Wärme eines Feuers auf seine Glieder traf.

Im Inneren war es hell, da gelbe Kugeln an den Wänden hingen, die Licht spendeten. Er hatte so etwas noch nie gesehen.

Er hörte Schritte im Gang und Lizzie tauchte nun in einem sehr viel einfacheren Kleid auf, als sie es vorher getragen hatte. „Da bist du ja! Ich wollte gerade zu dir kommen und dich holen. Eine warme Mahlzeit wartet auf dich, wenn du möchtest: hier entlang." Sie drehte sich um, bemerkte aber, dass er ihr folgte. „Was hast du?", sagte sie. Thordric zeigte mit geöffnetem Mund auf die Kugeln. Sie lächelte. „Eine Erfindung meines Mannes. Er wollte nicht gern Kerzen und Wandleuchter an den Wänden anzünden, er dachte, das würde die Tapete verbrennen. Also hat er diese hier entwickelt, um sie stattdessen zu benutzen. Sie funktionieren mit einem speziellen Trank, der fast acht Stunden lang Licht spendet, wenn er geschüttelt wird. Und sobald es dunkler wird, muss man ihn nur nochmals schütteln, und er wird wieder hell."

„Das ... das ist genial!"

„Ich weiß. Das Essen wartet, komm schon", sagte sie und ging wieder zurück zum Korridor. Thordric folgte ihr, da ihm plötzlich bewusst wurde, dass sein Magen laut knurrte.

Die Küche befand sich einen langen Spaziergang vom Eingang entfernt, und Lizzie führte ihn Korridore hinunter, die sich so sehr wanden und die Richtung wechselten, dass er nicht sicher war, in welchem Teil des Hauses sie sich befanden. Als sie endlich ankamen, fand Thordric einen großen Holztisch vor, der mit Tellern und Besteck beladen war und ein leckerer Geruch kam aus dem schwarzen Ofen, der die halbe Wand einnahm. Er setzte sich an den Tisch und beobachtete, wie Lizzie einen großen Haufen Bratkartoffeln und ein ganzes Huhn und noch mehr Gemüse und Soßen herauszog, als er jemals zuvor gesehen hatte. Seine Mutter kochte sicherlich nicht so, sie hatte nicht die Zeit dazu. Normalerweise kochte er, was sich auf Eintopf, Pasta und Reisgerichte beschränkte.

„Woher kommt all das Essen?", fragte er, während er seinen Teller mit so viel wie darauf passte belud.

„Ich habe gestern angewiesen, dass es hierher geschickt werden sollte, und es ist heute Morgen angekommen. Ich sagte dem Lieferjungen, er solle den Generalschlüssel unter der Igelstatue draußen benutzen. Wir haben genug für die ganze Woche. Auch wenn du jeden Tag so viel isst", fügte sie hinzu, während sie seinen vollen Teller beäugte.

„Das muss schrecklich viel gekostet haben", sagte er, während er eine Kartoffel verschlang.

„Das hat es", lächelte sie. „Zum Glück zahlt mein lieber Bruder dafür, sodass du dir keine Gedanken machen musst.

Thordric verschluckte sich an seinen Erbsen. „Der Inspector hat wirklich angeboten, zu zahlen?"

„Nun ja, nein, aber ich habe ihn überzeugt. Du bist ein wertvolles Mitglied des Reviers, auch wenn er zu dumm ist, es sich selbst gegenüber zuzugeben. Er weiß vollkommen, dass sie den Fall nicht ohne deine Hilfe lösen können, daher ist dein Training, wie ich ihm gegenüber betont habe, von größter Wichtigkeit."

Thordric beendete sein Mahl und fühlte sich unkomfortabel satt, und Lizzie führte ihn zu seinem Zimmer. Es war, wie auch alles andere im Haus, riesig. Das Bett war ein Doppelbett und er fand seinen Koffer darauf, der nur darauf wartete, ausgepackt zu werden. Zwei große Eichenschränke standen an jeder Seite des Raums und zu seiner Verwunderung fand er eine Tür, die zu seinem eigenen Badezimmer führte. Die Badewanne bestand aus weißem Porzellan und hatte einen Wasserhahn. Sie war der verbeulten Blechbadewanne zu Hause alles andere als ähnlich.

„Darf ich ein Bad nehmen?", sagte er, während er seine Hand über die glatte Oberfläche führte.

„Natürlich. Tatsächlich", sagte sie schnüffelnd, „empfehle ich es dringend. Aber der Wasserhahn lässt nur kaltes Wasser heraus, sodass du es selbst aufheizen musst. Und ich meine nicht, indem du den Herd benutzt."

ACHT
FEUERHOLZ

Lizzie verließ den Raum und ließ Thordric zurück, um sein Bad einlaufen zu lassen. Das Wasser war eiskalt. Er könnte nicht darin baden, er würde nach nur wenigen Sekunden frieren. Sie wusste auf jeden Fall, wie sie ihn davon abhalten konnte, es sich leicht zu machen.

Während er seine Augen rieb, um zu versuchen, sein Gehirn wieder zum Funktionieren zu bringen, beschloss er, die Badewanne zuerst zu füllen, bevor er versuchte, das Wasser zu erhitzen. Während es lief, packte er seinen Koffer aus.

Sein Gesicht wurde scharlachrot, als er ganz oben seine Unterwäsche sah, denn er erinnerte sich, dass Lizzie seiner Mutter geholfen hatte, den Koffer für ihn zu packen. Er warf sie hastig in eine der Schubladen im Wandschrank. Als nächstes kamen seine Hemden und Tuniken dran, gefolgt von seinen Hosen und Socken, und, er errötete wieder, seine Thermounterhemden und langen Unterhosen. Ganz unten befand sich eine Flasche Hustensaft, vom Rat der Magier verbessert, eine Zahnbürste und die Schere, die seine Mutter benutzt hatte, um ihm die Haare zu schneiden.

Jetzt war die Badewanne schon fast randvoll. Er stellte den Wasserhahn ab und kniete daneben, während er über die beste Art und Weise nachdachte, das Wasser aufzuheizen. Bisher hatte er gelernt, dass die meisten durch Magie bewirkten Dinge visualisiert werden mussten, als würde man sie selbst von Hand machen, wie Streichen und den Kessel reparieren. Er war sicher, dass, wenn er so an das Wasser dachte, als befände es sich auf einer heißen Herdplatte, das auch zum gewünschten Ergebnis führen würde.

Das tat es auch - zu gut.

Er tauchte seinen Finger ein und zog ihn auch wieder schnell raus, als er zusammenzuckte, da eine Blase sich zu bilden anfing. Er holte einen Metallkleiderbügel aus einem der Schränke, zog damit vorsichtig den Stöpsel aus der Wanne, um ein wenig Wasser abzulassen, und steckte ihn wieder rein. Er drehte den Hahn wieder um, ließ das eiskalte Wasser ein und wartete, dass es den Rest auf eine aushaltbare Temperatur abkühlte. Es dauerte nicht lange.

Er zog sich aus und war ganz eifrig, sich im nun warmen Wasser baden zu können, aber die Tür sprang auf und Lizzie kam mit einem Haufen flauschig rosa Handtücher rein. „Entschuldige", sagte sie, während sie sie aufs Bett legte, ohne seine Nacktheit zu bemerken. „Ich konnte die weißen nicht finden."

Thordric bedeckte hastig mit seinen Händen seinen Intimbereich und versuchte, sich hinter die Badezimmertür zu schleichen, sodass sie ihn nicht sehen konnte. Unglücklicherweise sah sie auf, bevor er dort war, und fing an zu kichern. Sein Gesicht begann sich so unerträglich heiß anzufühlen wie das Badewasser gewesen war.

„Sei nicht albern, Junge! Du musst dich nicht verstecken. Ich hatte auch mal einen Sohn, wie du weißt." Sie warf ihm ein Handtuch zu, um seine Verlegenheit zu mildern. Er schlang es schnell um, während er versuchte, eine gewisse Menge Würde angesichts der rosa Farbe zu behalten.

„Das hast du mir nie erzählt", murmelte er. „Außerdem bin ich schon fast ein Mann."

Sie kicherte. „*Fast,* aber nur fast." Sie drehte sich um und wollte gehen.

„Warte", sagte er. „Du sagtest ‚hatte'. Was ist mit ihm geschehen?"

Sie seufzte und setzte sich aufs Bett. „Er lief weg. Direkt nachdem mein Mann gestorben war. Damals war er ein Jahr älter als du oder so, und ich habe zehn Jahre damit verbracht, nach ihm zu suchen. Schließlich konnte es mein Herz nicht mehr aushalten und ich habe aufgegeben nach ihm zu suchen." Sie schniefte, wodurch sich Thordric schlecht fühlte, da er gefragt hatte, aber er fühlte sich immer noch dazu hingezogen, mehr zu erfahren.

„War er auch ein Halbmagier?", sagte er.

Sie rieb ihre Augen und straffte sich. „Das dachte ich, aber er hat nie Anzeichen gezeigt. Mein Mann hat trotzdem versucht, ihm ein paar Dinge beizubringen, aber er konnte sie nicht lernen und er hatte auch kein Interesse daran. Aber das ist jetzt genug von mir. Du gehst jetzt besser ins Bad, bevor sich das Wasser wieder abkühlt", sagte sie und verließ den Raum.

Sie klopfte früh am nächsten Morgen an seine Tür und sagte ihm, dass das Frühstück schon fertig sei. Thordric öffnete seine Augen und sah zum Fenster. Draußen war es immer noch dunkel. Er ächzte.

Er quälte sich aus dem Bett, zog frische Unterwäsche und eine Hose und zum Schluss eine seiner wärmeren Tuniken an. Er zog seine Stiefel an und stapfte die Treppe hinunter, während er sich daran zu erinnern versuchte, welchen Korridor er nehmen musste, um zur Küche zu gelangen. Er beschloss nach links zu gehen, aber fand heraus, dass die Lichtkugeln nur den halben Weg erleuchteten, und daher drehte er um, um den anderen Weg zu nehmen. Nach mehreren weiteren falschen Abbiegungen war er in der Küche, wo ihm Lizzie eine heiße Schüssel Porridge serviert hatte. Er aß alles schnell auf und fragte sich, wohin sie gegangen war. Seine Antwort kam einen Augenblick später, als sie durch die Tür sauste und alarmierenderweise eine Axt trug.

„Halte dich nicht lange damit auf, ich habe im Garten deine erste Aufgabe aufgestellt." Sie legte die Axt neben ihm auf den Tisch. „Die wirst du brauchen", sagte sie.

Er starrte sie an, sein Löffel schwebte in der Nähe seines Mundes in der Luft. „Du willst, dass ich Feuerholz hacke?"

„Ja, es wird kalt hier drin, wenn ich das Feuer nicht am Brennen halte."

„Aber du willst, dass ich es mit Magie mache?", fragte er.

„Natürlich. Ich habe dich nicht den ganzen weg hierhin gebracht, damit du Dinge von Hand machst." Sie schüttelte den Kopf und beschäftigte sich mit dem Kessel. Er dachte einen Moment lang nach, während er seinen Porridge zu Ende aß.

„Ich verstehe nicht, wie mir das helfen wird zu erkennen, welche Magie benutzt wurde."

„Dann benutzt du nicht dein Gehirn", erwiderte sie. „Bist du fertig?"

Er gab ihr seine Schüssel, nahm die Axt und ging raus. „Sei nicht eingeschnappt, Junge", fügte sie hinzu, während sie beobachtete, wie er aus dem Raum schlurfte. „Und ich will, dass du es schön und ordentlich hackst."

Sobald er die Tür öffnete, traf ihn der Wind voll im Gesicht und trieb ihn zurück. Er riss sich zusammen und stapfte dorthin los, wo sich der Holzhaufen befand.

Während er ihn mit Tränen in seinen Augen anstarrte, sowohl vom Wind als auch davon, wie hoch der Haufen war, presste er seine Kiefer zusammen und legte das erste Stück auf den Block. Er setzte die Axt auf dem Boden ab und versuchte, sie mit derselben Technik, die er für den Pinsel verwendet hatte, anzuheben. Sie erhob sich langsam in die Luft, wodurch er leicht zitterte, als er sich an das Gewicht gewöhnte. Indem er die Bewegung mit seinen Händen nachahmte, schlug er nach dem Holz. Die Axt folgte der Bewegung, verfehlte es aber und prallte ab, sie verfehlte nur knapp seinen Fuß. Er sprang zurück, schluckte und versuchte es wieder.

Diesmal erhob sich die Axt leichter in die Luft, aber als er sie schwang, schnitt sie nur ein kleines Stück Holz ab. Sein Schwung war zu schwach, er musste mehr Kraft hinein legen, und auch Präzision, sonst würde ihn Lizzie alles nochmal machen lassen.

Als er sich vorbereitet hatte, versuchte er es ein drittes Mal. Diesmal schaffte er es, dass sie oben ins Holz hackte, aber sie steckte fest und er bekam sie nicht heraus. Er zog mit seiner Magie daran, und dann mit seinen Händen. Aber sie bewegte sich nicht.

Indem er fest den Griff umschloss, stellte er seinen Fuß fest auf das Holz und zog und schob in alle Richtungen. Schweiß begann trotz der Kälte seinen Rücken herunterzulaufen, und mit einem mächtigen Ruck löste sich der Griff aus dem Axtkopf. Thordric verlor das Gleichgewicht und fand sich mit seinem Rücken auf dem Boden liegend wieder, der Axtkopf glitzerte in der Sonne, als gackerte er freudig.

Indem er seine Zähne zusammenbiss, um sich selbst vom Fluchen abzuhalten, stand er auf und steckte den Griff kraftvoll in den Metallkopf zurück. Er brachte mit seinem Fuß mehr Kraft auf das Holz, und ein bisschen weniger auf den Griff, und zog. Die Axt kam sauber in einem Stück heraus, flog in die Luft und landete direkt hinter ihm.

„Dieses Mal kriege ich dich", murmelte er, während er sich den Block ansah, als beleidigte ihn seine Gegenwart. Er hob die Axt wieder durch Magie an, seine Entschlossenheit ließ sie durch die Luft segeln, und schwang sie mit aller Kraft, die er zur Verfügung hatte, runter. Sie spaltete das Holz direkt in der Mitte, gleichmäßig auf beiden Seiten. „Hah!", sagte er, nahm die Axt wieder auf und schwang sie wie ein Schwert herum.

„Ich nehme an, dass du dir bewusst bist, wie gefährlich das ist", sagte Lizzie hinter ihm, was ihn ein paar Zentimeter in die Luft springen ließ.

„Ich ... äh, I habe doch nur ...", murmelte er.

„Ja, ich habe dich beobachtet", sagte sie. „Und jetzt hackst du den Rest des Haufens genau so und ich denke darüber nach, dir Mittagessen zu machen." Sie verschwand wieder drin und schloss die Tür mit einem lauten Knall hinter sich.

Mehrere Stunden später trottete er mit schmerzenden Muskeln und unerklärlicherweise an seinen Händen auftauchenden Blasen in die Küche, wo der Geruch von Lizzies Kochkünsten seinen Bauch knurren ließen. Sie sah ihn an und bekundete ihr Missfallen, bevor sie eine Schüssel warmen Wassers brachte, um seine Hände darin zu baden.

„Ich verstehe das nicht", sagte er, während er dankbar seine Hände eintauchte. Die Wärme breitete sich in seinen Fingern aus und das Pochen seiner Blasen linderte sich dramatisch. „Ich habe die Axt kaum berührt, als ich es erst einmal herausgefunden hatte. Wie kann ich Blasen bekommen und wie kann es so weh tun?"

„Mein Mann nannte es *Phantomerschöpfung*", erwiderte sie, während sie den Tisch deckte. „Es kommt daher, dass du deinen Körper davon überzeugst, etwas zu benutzen, wenn du es gar nicht tust. Es lässt nach, wenn du dich erst mal an diese Art von Magie gewöhnt hast."

„Ich hoffe wirklich, dass es das tut. Ich werde den Rest meines Lebens Qualen leiden, wenn das jedes Mal passiert."

Sie aßen zum Mittagessen Eintopf und frisch gebackene Brötchen, die Thordric eifrig verschlang. Als er fertig war, bat Lizzie ihn, das von ihm gehackte Holz reinzubringen, indem er wieder Magie benutzte. Das fand er einfach und schaffte den ganzen Haufen in nur drei Durchgängen. Nachdem er damit fertig war, rief sie ihn in die Küche. Er taumelte fast wieder heraus, als er den Stapel Töpfe sah, den sie für ihn aufgestapelt hatte, aber sie hielt ihn am Arm und warf ihn in den vor ihnen stehenden Stuhl. Da bemerkte er, dass sie alle glänzten und keinen einzigen Kratzer hatten. Er sah sie argwöhnisch an und fragte sich, was sie von ihm wollte.

„Nun, da du deinen Geist erweckt hast, ist es an der Zeit, dass du etwas Neues tust." Sie gestikulierte in Richtung der Töpfe. „Wie du sehen kannst, befinden sich alle in perfektem Zustand. Was ich von dir möchte ist, dass du sie alle beschädigst. Ich will Beulen und Kratzer, verbogene Griffe und Brandflecke."

Er starrte sie mit so hoch erhobenen Augenbrauen an, dass sie an seinen Haaransatz stießen. „Du willst, dass ich sie beschädige? Bist du sicher?"

„Ich bin sicher. Aber", sagte sie und starrte ihn ernst an. „Ich möchte nur, dass sie so *aussehen*."

„Aber ... ähm, was? Wie mache ich das?"

„Du musst eine Illusion erschaffen", sagte sie, während sie ihre Augen rollte.

„Eine Illusion erschaffen? Warum muss ich das lernen?"

Sie klopfte ihm mit ihrem Nudelholz fest auf die Knöchel und ignorierte seinen Schreck. „Du solltest spätestens jetzt wissen, dass man das nicht fragt. Fülle deinen Kopf mit Magie, nicht mit Fragen. Ich bin den Korridor hinunter, wenn du mich brauchst.“ Sie ließ ihn wieder allein.

Diesmal war er vollkommen verloren. Wo fing er an, eine Illusion zu erschaffen? Er zog einen der kleineren Töpfe zu ihm und versuchte, sich seine glänzende Oberfläche angelaufen und zerbeult vorzustellen. Er nahm an, dass es möglich sei, denn sonst hätte sie ihn nicht darum gebeten, aber sein Geist blieb leer.

Wie würde er es ohne Magie machen? Dort musste er anfangen, das wusste er, aber er war sich nicht sicher, wie er das tun sollte. Er könnte Farbe benutzen. Aber das würde die Oberfläche des Topfs wirklich verändern und er war sich sicher, dass es nicht das war, was sie wollte. Doch könnte er sie mit etwas bedecken, wenn er sie verkleiden wollte.

Wenn die Illusion, die er erschuf, vielleicht eine Art Decke wäre, konnte er sie dann einfach über sie legen? Er dachte darüber nach, es zu versuchen, aber wusste, dass, wenn er es richtig machen wollte, es bei jedem einzelnen Topf machen müsste.

Er nahm den kleinen Topf und schloss seine Augen. Er dachte daran, ein weißes Tuch über ihn zu legen. Er öffnete sie wieder. Da *war* wirklich etwas, das den Topf bedeckte, aber es war so durchsichtig, dass es fast schon unsichtbar war. Er seufzte und es verschwand komplett.

In diesem Moment segelte Lizzie herein und erhaschte gerade so einen Blick auf das durchsichtige Tuch, bevor es verschwand. Thordric sah sie und ließ den Kopf hängen. „Das kann ich nicht“, sagte er

„Es gibt nichts, was man nicht kann, besonders für jemanden mit deinen Fähigkeiten. Du bist schon weiter gekommen, als ich geglaubt hatte, du bist erst eine Stunde lang damit beschäftigt.“

„Aber ich habe kaum etwas gemacht.“

„So sieht es für mich nicht aus. Du scheinst schon herausgefunden zu haben, wie man es macht“, sagte sie, während sie einige der Holzscheite, die er gehackt hatte, in den Herd steckte.

„Nun ... ja ...“, sagte er. „Aber es hat trotzdem nicht funktioniert.“

„Ich habe nicht erwartet, dass es das bei deinem ersten Versuch tut. Das ist eine sehr viel andere Art von Magie als du bisher praktiziert hast. Sie ist sehr fortgeschritten und es wird Zeit brauchen.“ Sie goss ihm eine Tasse starken Tee ein holte einen Teller voller Kekse aus einem der Schränke. „Hier, mach für den Rest des Tages eine Pause, es gibt noch eine Menge anderer Dinge, die ich dir beibringen muss. Du kannst es morgen wieder probieren.“

Er nippte an seinem Tee und bemerkte erst jetzt, was sie gesagt hatte. Also war er bei fortgeschrittener Magie? Er konnte sicher verstehen, warum sie fortgeschritten war. Es hatte ihn mehr schwitzen lassen als das Hacken des Holzes und er hatte weniger als die Hälfte der Zeit damit verbracht.

„Wie gut bist du im Identifizieren von Pflanzen?“, fragte sie ihn nach einer Weile.

„Nun ja, ich erkenne schon, wenn wir Unkraut im Garten haben. Ich musste nie wirklich darüber nachdenken.“

„In diesem Fall ist das praktisch für das, was ich als nächstes für dich habe.“ Sie zog ein kleines Buch aus der Tasche ihrer Schürze und gab es ihm. Er blätterte es durch und bemerkte, dass es ordentlich von Hand geschrieben war. Es war eine Liste aller wilden Pflanzen in der Gegend. Sie fing mit den häufigsten an und war vollständig mit Zeichnungen und Hinweisen darüber, wie man sie erkennen konnte.

„Mein Mann hat es zusammengestellt, als er damit anfing, die Eigenschaften bestimmter Kräuter zu erforschen, und herausfand, dass eine ganze Reihe der Pflanzen,die in

Watchem Woods wachsen, auch interessante Eigenschaften haben.“

„Kräuter sind das, woraus man normalerweise Tränke macht, oder?“, fragte er, während er es wieder durchblätterte.

„Genau. Aber heute wirst du keine mehr herstellen. Alles, was ich möchte ist, dass du hinausgehst und so viele du kannst identifizierst, indem du dieses Buch benutzt.“

Er sah sie an und ein breites Grinsen breitete sich auf seinem Gesicht aus.

NEUN
VON WATCHEMS BEOBACHTET

Lizzie gab ihm einen schweren Samtumhang. Er legte ihn um die Schultern und erkannte, dass es die Art mit Ärmeln war. Er steckte seine Hände hindurch und strich über die Schließe, die in einer Höhe mit seiner Körpermitte war, und sah in den Spiegel. Er sah genau wie einer aus dem Rat der Magier aus, außer dass das Symbol auf seiner Brust ein Halbmond war und nicht das Buch und die Flasche mit einem Trank.

„Der hat deinem Mann gehört, oder?", fragte er sie. Er konnte nicht anders als mit seinen Händen über den glatten, weichen Stoff zu streichen.

„Ja", sagte sie. „Ich habe ihn in einem Winter für ihn gemacht, sodass er hinausgehen und ohne zu frieren seine Kräuter sammeln konnte. Ich bin mir sicher, dass er es gemocht hätte, dass du ihn trägst, um das Gleiche zu tun. Jetzt gehört er dir."

„Vielen Dank, Lizzie." Er zog die Kapuze über und öffnete die Tür, der Wind schlug ihm wieder ins Gesicht. Indem er seine Lampe nahm und fest das Buch umklammerte, ging er in die Wälder.

Zuerst ging er der Längsseite des Hauses nach und fand heraus, dass es sich tatsächlich nur ein kleines Stück hinein erstreckte. Er fand eine Tür in der Mauer am Ende, aber dann sah er, dass die Scharniere mir Rost überzogen waren. Sie würde sich vielleicht öffnen, wenn er sie einzutreten versuchte. Er zuckte die Schultern und bemerkte dann, dass daneben eine merkwürdig aussehende Pflanze stand. Er blätterte in seinem Buch und versuchte, sie zu finden. Sie war mit einem Hinweistext neben dem Bild auf der ersten Seite, der „S. häufig" lautete. Nun ja, sie mochte hier vielleicht häufig vorkommen, aber Thordric hatte sie noch nie zuvor gesehen. Sie hatte einen langen, dünnen, dunkelgrünen Stamm und statt Blüten wuchsen gigantische lila ballartige Dinge. Er nahm an, dass sie eine Art Frucht seien, aber er sah in seinen Notizen nach, um es zu überprüfen.

Große Männernase (Vicus Ruberus): Wächst in großer Anzahl in allen Waldgebieten, statt Früchten wachsen Knollen. Stamm und Knollen sammeln. Eigenschaften: verringert die Temperatur, mildes Beruhigungsmittel.

Also waren das dann Knollen. Er nahm eine, trotz dessen, was Lizzie darüber gesagt hatte, sie nur zu identifizieren, und steckte sie in seine Tasche. Er ging weiter durch die Bäume und fand bald heraus, was ihr Mann gemeint hatte, als er sagte, sie sei sehr häufig. Der Wald war voll davon. In allen Richtungen waren ganze Büschel davon bis fast zu seiner Größe gewachsen.

Er trottete daran vorbei, während er geradeaus ins Herz des

Waldes ging, und trat fast auf ein kleines Büschel zarter gelber Blumen. Sie wuchsen kaum einen Zentimeter über dem Boden und als er niederkniete, um sie sich genauer anzusehen, wurde er des schönsten Dufts gewahr, den er jemals gerochen hatte. Er war wie Kokosnuss und Vanille, mit einer geringen Note Rosenblüten. Er öffnete sein Buch und fand sie nach einem Drittel.

Reizender Sonnenstrahl (Oppulus Nuvendor): Wächst in kleinen Büscheln, schwierig zu finden. Nur in manchen Gegenden zu finden. Nur die Blüte sammeln. Eigenschaften: abhängig von der Dosierung verursacht sie Halluzinationen von unterschiedlicher Intensität. Gefährlich bei häufiger Verwendung.

Er beschloss, diese Pflanze nicht allzubald zu pflücken, solange er sie nicht bei jemandem benutzen wollte, den er nicht mochte. Er lächelte, während er sich vorstellte, was mit dem Inspector geschehen würde, wenn er ein wenig in seinen Tee gäbe. Nein, der Inspector war dafür nicht böse genug.

Während er weiter in den Wald ging, identifizierte er zehn weitere Pflanzen, die er noch nie gesehen hatte. Einige heilten Kopfschmerzen und Fieber, andere halfen, Schwellungen zu lindern und Knochen schneller heilen zu lassen, und eine verhinderte sogar Haarausfall. Er war darüber erstaunt, wie viele Verwendungsmöglichkeiten es gab, denn er sah häufig Notizen, die neben jeder Pflanze standen, die ihm sagten, wie er sie kombinieren konnte, um wiederum andere Wirkungen zu erzielen.

Er suchte fleißig nach weiteren, aber je tiefer er in den Wald ging, desto mehr fühlte er sich, als würde er beobachtet.

Er sah sich um, indem er seine Lampe in der zunehmenden Dunkelheit hoch hielt, aber er konnte nichts sehen. Er zuckte die Schultern und ging weiter, aber dann knickte ein Ast hinter ihm und ließ ihn aufspringen. Er drehte sich um, sah aber wieder nichts. „Ich war mir sicher …", fing er an, aber dann fing einer der Büsche an zu zittern. Er veränderte sich langsam, er wurde immer dünner und immer mehr wie ein Zweig, mit scharfen, spindeldürren Fingern und einem Bart aus struppigen Blättern. Er reichte nur bis zu seinen Kniescheiben.

Thordric blieb stumm. Die Hand, die die Lampe hielt, zitterte leicht und hüllte die Kreatur in einen zitternden Schatten. Sie kroch zu ihm, stellte sich auf zwei Beine auf, und begann, an seinem Umhang zu riechen. Er schreckte zusammen, als sie ihn mit ihren scharfen Fingern pickte, und sie ließ ein merkwürdiges, zwitscherndes Geräusch vernehmen, das für ihn verdächtig nach einem Lachen klang. Scheinbar zufrieden zwitscherte sie ihn wieder an und huschte dann in die Bäume. Thordric schluckte.

Er erinnerte sich plötzlich wieder an das Buch in seiner Hand und blätterte es verzweifelt durch, um zu sehen, ob sich die Kreatur auch darin befand. Das war sie, ganz hinten auf der letzten Seite.

Watchem Watchem (Nexus Traubus): Eine Kreatur, die sich als Busch verkleidet. Sanftmütig, aber normalerweise sehr neugierig. Wenn sie einen als freundlich wahrnehmen, erlauben sie es vielleicht, ein Blatt aus ihrem Bart zu nehmen. Eigenschaften: heilt tödliche Krankheiten, öffnet die Sinne.

Nun wusste er zumindest, warum der Wald so einen seltsamen Namen hatte. Er schloss das Buch, da er bemerkte, wie steif seine Finger von der Kälte geworden waren. Es war nun vollständig dunkel und Lizzie erwartete ihn vermutlich wieder zurück. Er zog seinen Umhang enger um sich und ging zurück zum Haus, während er der Versuchung widerstand, die verschiedenen Blätter und Blüten der Pflanzen, die er identifiziert hatte, zu pflücken.

Das Haus war im Inneren herrlich warm und er ging direkt in die Küche, um seine Hände am Herd weiter aufzuwärmen. Lizzie war damit beschäftigt, Kartoffeln und Möhren zu schneiden, als er hereinkam.

Sie erhob ihre Augenbrauen und bemerkte die leichte Beule in seiner Tasche, wohin er die Knolle der *Großen Männernase* gesteckt hatte. „Ich dachte, ich hätte dir gesagt, nur zu kucken?“, sagte sie.

Er grinste sie an. „Ich konnte nicht widerstehen. Es gibt da drin so viele Pflanzen, von denen ich nicht einmal gehört habe, und ich bin sogar einem Watchem Watchem begegnet.“

„Du hast einen gesehen? Patrick – das heißt mein Mann – war der einzige Mensch, den ich kenne, der sie jemals aus der Nähe gesehen hat. Ich konnte nur einen flüchtigen Blick erhaschen.“

„Er kam direkt auf mich zu – mein Herz hörte fast auf zu schlagen, als ich ihn sich verändern gesehen habe“, sagte er, während er sich an den Tisch setzte.

„Ja, ich erinnere mich, dass mir Patrick das Gleiche erzählt hat. Er ging oft, um sie zu besuchen, als wir hier gelebt haben. Er war fast wie ein Freund für sie.“

Das Frühstück am nächsten Morgen war sogar noch früher als das vorherige, aber diesmal stieg Thordric die Treppe eifrig hinab. Als er zur Küche kam, fand er den Tisch zur Seite des Raums geschoben vor, und ein großer Kessel, dekoriert mit einem Mosaikmuster, stand in der Mitte. Nun hob Thordric seine Augenbrauen an. Lizzie gab ihm mit einem Lächeln auf dem Gesicht seine Schüssel Porridge.

„Ich glaube, du bist jetzt bereit, alles über Tränke zu erfahren. Heute gibt es einen schönen einfachen, glaube ich. Du kannst mit deiner Illusionsübung fortfahren, während er braut", sagte sie.

Er löffelte schnell einen Mundvoll Porridge, wobei er sich die Zunge verbrannte. Er hatte alles über den Illusionszauberspruch vergessen „Was für ein, ähm, Trank wird es sein?", fragte er, während er seiner Zunge mit der Hand Luft zufächelte.

Sie grub in ihrer Schürze herum, zog ein weiteres Buch hinaus und gab es ihm. Es war von Hand geschrieben, genau wie das andere, und es trug den Titel „Tränke für nützliche Zwecke". Thordric schnaubte darüber, da er daran dachte, welch lächerliche Tränke der Rat der Magier immer entwickelte. Er erinnerte sich an einen der letzten, der dazu gedacht war, Frauenfüße zeitlich begrenzt leicht schrumpfen zu lassen, um besser in die neuesten modischen Schuhe hineinzupassen. Seine Reaktion entging Lizzie nicht.

„Mein Mann hatte nicht besonders viel für den Rat der Magier übrig, er glaubte, sie sollten ihre Kräfte für größere Dinge nutzen", sagte sie. „Sieh dich um und wähle den Trank, den du ausprobieren möchtest. Aber nur die, die als einfach markiert sind, denke daran."

Er öffnete das Buch. Nur die ersten zehn Seiten enthielten einfache Tränke und es gab vier, unter denen er wählen konnte. Der erste sollte dem Trinker zu schlafen helfen, der zweite heilte - zu seiner Freude - die Reisekrankheit, der dritte sollte Stottern heilen und der vierte sollte Krämpfe bei normalen Erkältungen verhindern. Er blieb bei dem für Reisekrankheit hängen, erinnerte sich aber schnell, dass er im

Winter Erkältungen hatte und entschloss sich, stattdessen diesen zu probieren.

„Nun dann“, sagte Lizzie, als er ihr seine Wahl mitteilte. „Finde heraus, welche Zutaten du brauchst und sammle sie. Ich zeige dir, wie man sie alle vorbereitet, wenn du zurückkommst.“

Er aß seinen Porridge zu Ende und ging dann wieder nach draußen in den Wald. Er sah ins Buch und sah, dass er drei verschiedene Pflanzen finden musste. Zwei davon hatte er am vorherigen Tag gesehen, aber es gab eine, die er nicht kannte und sie war als sehr selten markiert. Er begab sich zuerst auf die Suche nach denen, die er kannte, nahm genau die angegebene Menge und streifte dann herum, während er nach der Pflanze suchte, die er nicht kannte.

Der Wald sah im Morgenlicht anders aus und er konnte sehen, dass die Büsche alle verschiedene Farben von Dunkellila bis zu hellen Gelb- und Grüntönen hatten. Eine ganze Reihe von ihnen zitterte und er nahm an, dass die meisten davon Watchem Watchems waren. Ein paar ließen sogar den merkwürdigen, gurgelnden Klang hören, als er vorbeiging.

Er sah in sein Pflanzenbuch, um zu sehen, wie die neue aussah, aber der Eintrag zeigte mehrere Varianten. Der Hinweis dabei besagte, dass es eine formwandelnde Pflanze sei und ihre wahre Form nur im reinen Sonnenlicht der Mittagsstunde offenbarte. Es war noch nicht kurz vor Mittag, wie sollte er sie also finden? Er warf seine Hände plötzlich verärgert in die Luft und ließ sich unter einem der Bäume nieder, während er beide Bücher durchblätterte, um sich die Zeit zu vertreiben.

Er hatte erst ein paar Minuten gelesen, als er ein Rascheln hörte. Er sah auf und fand sich von Watchem Watchems umgeben wieder. Sie studierten ihn und ihre tautropfenartigen Augen starrten die Bücher in seinen Händen an. Ein Dunkelblauer stieß das Buch der Pflanzen an.

„Was machst du da?“, sagte Thordric, während er ein paar Zentimeter zurückwich. Die Kreatur stieß das Buch wieder an und wollte dann danach greifen. „Hey!“

Die Kreatur stieß immer noch dagegen und die anderen fingen an noch beharrlicher mitzumachen. Er beobachtete sie und beschloss zu sehen, was sie wollten. Er legte es vor sie auf den Boden. Der Dunkelblaue öffnete es und blätterte die Seiten um, bis er auf der Seite mit der Pflanze landete, die Thordric brauchte. Er zeigte auf Thordric und dann auf das Bild. „Was?“, sagte Thordric. Die Kreatur machte ein leises Geräusch wie ein aufgebrachtes Seufzen und nahm ihm das Tränkebuch ab und legte es auf den Boden, während er die Seiten bis zur Seite des Tranks zur Verhinderung von Erkältungen umblätterte. Er tippte auf die Zutaten und dann auf das Bild der Pflanze in dem anderen Buch.

Endlich verstand Thordric. „Ihr kennt sie?“, fragte er. Die Kreaturen nickten alle. „Ihr wisst, wo man sie finden kann?“

Sie nickten wieder und rannten zu seiner Rechten, während sie die ganze Zeit glucksten. Er suchte die Bücher wieder zusammen und stand auf. Er stolperte über seinen Umhang, sodass er mit dem Kopf zuerst in einen Baum fiel. Die Watchem Watchems glucksten noch mehr, als er sich aufrichtete und seinen Kopf zu schütteln versuchte, um seine Sicht wieder normal werden zu lassen. Sie warteten auf ihn, aber sobald er wieder gehen konnte, flitzten sie wieder weg.

Fünfzehn Minuten später hielten sie an einer einzelnen, wenig bemerkenswerten Pflanze an. Er ging zu ihnen und sah sie an. „Seid ihr sicher, dass sie das ist?“, fragte er. Der Dunkelblaue stieß ihn fest ans Schienbein und zeigte dann auf die Pflanze. „Wenn du das sagst.“ Thordric pflückte die Pflanze und legte sie in die kleine Tasche, die den Rest der Zutaten enthielt. Die Kreaturen schnurrten und rannten weg, bevor er ihnen danken konnte.

ZEHN
TÖPFE UND TRÄNKE

Lizzie ließ ihn alle Pflanzen auf dem Tisch auslegen und dann öffneten sie das Tränkebuch auf der richtigen Seite. „Du hättest nicht die ganze Pflanze pflücken müssen, weißt du", sagte sie, während sie herumtanzte, als sie die Anweisungen las.

„Ich hatte kein Messer dabei, um die richtigen Teile abzuschneiden", sagte Thordric.

„Hmm." Sie breitete die Pflanzen in drei getrennten Häufchen aus und las laut vor, welche Teile davon sie brauchten. Die erste, die er gepflückt hatte, wurde für ihre Wurzeln gebraucht, und sie nahm eine auf und gab sie ihm. „Hier." Sie gab ihm ein Messer und nahm dann selbst eins. Er wollte gerade seine Pflanze schneiden, aber sie schlug ihm fest auf die Fingerknöchel.

„Nicht so grob, Junge. Mach es sanft und mit Präzision. Die Wurzeln müssen in Stücke von einem Zentimeter Länge geschnitten werden, damit es richtig funktioniert.

Er machte weiter, tat wie ihm geheißen, und sie murmelte anerkennend, als sie ihm zusah. Dann widmeten sie sich der nächsten Pflanze, von welcher sie die Blätter brauchten, die zu einem feinen Pulver zermahlen werden mussten, und die letzte Pflanze musste bis auf den Stamm entblättert werden. Es dauerte eine Weile, um sicherzugehen, dass alles so ausgeführt worden war, wie es die Anleitung darstellte, aber als alles fertig war, war alles, was sie noch zu tun hatten, die richtigen Mengen in den Topf zu geben und mehrere Stunden zu warten, bis alles gebraut und eingedickt war.

„Sonst müssen wir nichts tun? Keine Sprüche oder so etwas?", fragte er leicht enttäuscht.

„Du könntest ein paar Worte sprechen, wenn du magst, aber ich bezweifle, dass sie eine Wirkung haben werden. Nicht alle Magie nutzt die Kraft des Zauberers, weißt du", erwiderte sie.

„Oh", sagte er.

Sie ging zu den Regalen hinüber und nahm die Töpfe und Pfannen heraus, bei denen er versucht hatte, eine Illusion darüber zu legen. „Wir haben noch genug Zeit, dass du vor dem Mittagessen noch ein bisschen Übung bekommst. Mach dir keine Gedanken über Geschwindigkeit, konzentriere dich nur auf die Technik und schon wird es funktionieren."

Thordric sah sie zweifelnd an, setzte sich aber trotzdem an den Tisch. Sie stellte die Töpfe vor ihn und schlenderte zum Herd hinüber, um das Mittagessen fertig zu kochen. Thordric rieb sein Gesicht, während er darüber nachdachte, wie er es beim letzten Mal geschafft hatte, die transparente Abdeckung zu erschaffen. Er nahm wieder einen der kleineren Töpfe, drehte ihn in seiner Hand, bevor er ihn wieder absetzte.

Indem er sich das weiße Tuch über ihm vorstellte, ließ er es durch seinen Willen erscheinen. Langsam, als ob es langsam wuchs, begann eine leichte Weiße, über dem Topf sichtbar zu werden, die an Substanz gewann, während sie anwuchs. Schweißperlen bildeten sich entlang seiner Schläfen, aber er blieb dabei und bald sah der Topf wirklich aus, als sei er in ein Tuch gehüllt. Er hörte einen Moment lang auf und streckte seine Hand aus. Der Topf fühlte sich immer noch wie aus Metall an und die Illusion blieb. Nun war alles, was er noch tun musste, sie so zu formen, dass der Topf alt und kaputt aussah.

Er dachte daran, bei der Idee mit dem Tuch zu bleiben, und musste es eher der Form des Topfs anpassen, statt ihn nur zu bedecken. Er drückte das Bild des Tuchs ins Innere des Topfs, als würde er ein Futter erschaffen. Das war nicht leicht. Es widerstand jeder, auch nur leichten, seiner Berührungen und die Anstrengung hatte ihn wieder zittern anfangen lassen. Sein Mund wurde trocken und seine Nasenflügel wund, aber er war zu entschlossen, als dass er aufhören konnte. Mit einem letzten Druck gab die Tuchillusion nach und haftete an Innen- und Außenseite des Topfs, wie er es wollte.

Mit einem kleinen Lächeln kletterte er aus dem Stuhl, um es Lizzie zu zeigen, aber als er sich umdrehte, spürte er, wie sich der Raum um ihn drehte und seine Beine gaben nach. Er erinnerte sich daran, wie er einen letzten, langen Atemzug einsog, bevor ihn Schwärze verschlang.

Er wachte auf und befand sich immer noch auf dem Boden, aber jetzt saß er aufrecht neben dem Herd, und Lizzie hatte eine Decke um ihn gelegt. Er wollte sie ablegen und aufstehen, aber er spürte ein heftiges Pochen quer über seinen Kopf laufen. „Bewege dich nicht, Junge“, sagte Lizzie, während sie ihr Nudelholz über ihm schwang.

„Aber ...“

„Tue, was ich dir sage, und diskutiere nicht. Du hast es mit diesem Illusionszauber übertrieben und du musst ein paar Stunden lang still liegen bleiben. Ich hätte dich selbst auf dein Zimmer gebracht, aber trotz, dass du so dünn bist, scheinst du ziemlich viel zu wiegen", sagte sie, ging wieder zum Herd und rührte in einem der Töpfe umher.

„Ich bin nur etwas zitterig geworden ..."

„Und dann bist du ohnmächtig geworden. Du bemühst dich zu sehr. Ich habe dir doch gesagt, diesen Spruch langsam anzugehen. Wenn du ein Vollmagier wärst und am Ausbildungszentrum des Rates der Magier ausgebildet worden wärst, wie alle anderen, würdest du nicht einmal etwas über ihn erfahren, bis du achtzehn bist."

„W ... was? Du hast doch gesagt, dass die Ausbildung anfängt, wenn sie noch Kleinkinder sind. Sie brauchen so lange, um sich zur fortgeschrittenen Magie hochzuarbeiten?", sagte er.

„Ja, so ist es. Deshalb ist kein Mitglied des Rates der Magier unter dreißig, weil ihre Ausbildung so lange dauert. In den paar Tagen, seit du mich kennengelernt hast, hast du mehr über Magie erfahren als sie in drei Jahren lernen."

„Aber sicherlich sind sie doch genauso schnell im Lernen wie ich, oder?"

„Nein, Junge, das sind die nicht. Wie schon vorher gesagt, du hast ein riesiges Talent für die Magie. Tatsächlich auch viel mehr als ich am Anfang dachte."

Thordric spürte, wie sein Kopf bei dem, was sie ihm gerade erzählt hatte, brummte, und mit einem breiten Grinsen auf seinem Gesicht wurde er wieder ohnmächtig.

„Junge? Junge, wach auf, das Mittagessen ist fertig."

Thordric öffnete seine Augen langsam und gähnte. Der Kessel in der Mitte des Raums blubberte wie Musik vor sich hin und der Geruch von Lizzies Essen umschmeichelte ihn so sehr, dass er aufstand, indem er sich an der Wand abstützte und hinüber zum Tisch taumelte. Er war gesäubert worden, seit sie die Pflanzen geschnitten hatten, und die komischen Teile von Wurzeln und Blättern waren durch große Schüsseln kochend heißen Essens ersetzt worden. In der Mitte stand ein Teller voll frisch gebackenem Brot und als ihn sein Geruch erreichte, klappte sein Mund auf.

„Iss ordentlich, Junge", sagte Lizzie, während sie sich ans andere Ende des Tisches setzte. „Essen wird dich wieder auf die Beine bringen."

Thordric zögerte nicht. Nachdem er seinen Teller gefüllt hatte, fing er an, große Fleischstücke und Gemüse und Kartoffeln zu essen. Nach jedem Mundvoll fühlte er sich besser und als er fertig war, dachte er, er sei wieder bereit, den Illusionsspruch anzugehen. Lizzies Antwort war, ihm einen besonders großen Apfel an den Kopf zu werfen.

„Es ist mir egal, ob du glaubst, dich gut genug zu fühlen, um zum Mond zu rennen. Für heute hattest du genug von diesem Zauber. Du kannst ihn morgen wieder ausprobieren, aber heute musst du deinen Trank fertig machen", sagte sie.

„Ich dachte, er sei fertig?", sagte er, indem er demonstrativ zum blubbernden Kessel nickte.

„Wenn du das glaubst, dann hast du die Anweisungen nicht ordentlich gelesen. Er muss gefiltert werden und dann drei Stunden lang gerührt werden, bis er fertig ist."

„Drei *Stunden* lang rühren?"

„Ja, Junge. Ich schlage vor, du machst dich jetzt daran. Du musst ein Tuch machen, um ihn durch es hindurch filtern zu können. Mein Mann hat immer Schilfrohr verwoben, das am Rande des Waldes wächst. Er hat eine Art Abdeckung daraus gemacht, um sie über den Kessel zu legen, sodass der Trank gesiebt wurde, wenn man ihn kippte, aber alle Teilchen herausließ, die man nicht braucht."

„Wie lange dauert das?", fragte er. Sie nahm einen weiteren Apfel auf und zielte auf seinen Kopf. Er ging schnell.

Er brauchte nicht lange, um das Schilf draußen zu finden, denn es stand entlang der Seite des Hauses. Er schnitt mehrere Arme voll, verzog die Nase wegen des Geruchs, den es verströmte, und brachte es rein. Lizzie führte ihn in einen weiteren Raum, von der Küche aus den Gang hinunter, wo er eine kleine Werkbank und ein brennendes Feuer vorfand.

Er setzte sich und zog die Haut des Schilfs ab, sodass keine Blätter mehr dran waren, und legte es aus. Seine Mutter hatte ihm vor ein paar Jahren gezeigt, wie man webte, als sie ihn gebeten hatte, ihr dabei zu helfen, ein paar ihrer Körbe zu reparieren, und so machte er sich mit Leichtigkeit an die Arbeit. Er fädelte jedes Stück ein und aus, stellte sicher, dass es ordentlich hielt, und fügte dann ein weiteres hinzu. Er brauchte mehrere Stunden, um eine komplette Abdeckung herzustellen, mit der er zufrieden war, aber als er fertig war, ging er in die Küche zurück und zeigte sie Lizzie.

Diesmal verriet ihr Gesichtsausdruck ihre Überraschung und sie legte die Abdeckung über den Kessel, um zu sehen, ob sie passte. Das tat sie perfekt. „Das hast du gut gemacht, Junge“, sagte sie, während sie wieder in die großen Schränke griff und einen der größten Töpfe, die er jemals gesehen hatte, hervorzuholen. „Jetzt ist alles, was du tun musst, es an Ort und Stelle zu halten, während du den Kessel kippst.“ Sie schob den großen Topf neben den Kessel und machte vor, wie er den Trank hineinkippen konnte, um zu sehen, ob er nahe genug stand. Zufrieden bedeutete sie ihm anzufangen.

Er fragte sie nicht, ob sie wollte, dass er Magie benutzte. Er kannte sie gut genug, um zu wissen, dass sie ihm wahrscheinlich einen Apfel in die Nase stecken würde, wenn er es tat. Er beschloss, dass es der beste Weg wäre, die Schilfabdeckung magisch oben am Kessel zu befestigen und ihn dann physisch zu kippen. Das schien zu sein, was sie wollte, denn sie widersprach nicht, und schon bald war der Trank in den Topf gefiltert. Er ließ den Kessel los und entfernte die Abdeckung, während er einen Blick hinein warf. Nun verstand er, warum es notwendig gewesen war. Der Topf war voller Pflanzenteile. Er hatte einfach angenommen, dass, wenn sie alles erst einmal im Kessel hatten, es sich in eine Art Pampe verwandeln würde. Er hatte nicht daran gedacht, dass der Trank nur die Essenz brauchte, und mit einem Kichern dachte er daran, wie sehr es dem Teekochen ähnelte.

„Nun fange ich an, einen Augenblick lang zu rühren, während du dieses Zeug auskippst", sagte sie und nahm eine Schöpfkelle.

Er sah den Kessel böse an, da er wusste, dass es der einzige Weg war, ihn den ganzen Weg bis zur Haustür zu bewegen, indem er ihn durch Magie trug. Er klatschte in die Hände und zwang ihn, in der Luft zu schweben. Nach ein paar grollenden Wacklern am Boden funktionierte es und er ließ ihn über Lizzies Kopf hinweg und in den Gang schweben, während er ihm folgte.

Nachdem er zurückgekommen war und ihn auf ihren Wunsch hin auswusch, wies sie ihn an, das Rühren zu übernehmen. Es würde immer noch zweieinhalb Stunden dauern.

Um sich selbst zu amüsieren und seine Gedanken von seinen stark schmerzenden Armen abzulenken, beschloss er, mit seiner Magie die Küche neu anzuordnen. Lizzie befand sich am anderen Ende des Hauses und sortierte die Wäsche, sodass er wusste, dass er sicher war.

Er fing mit all den Kräutern an, die an den Balken der Decke hingen, und ordnete sie nach den Farben ihrer Blüten, indem er sich durch die Farben des Regenbogens arbeitete, von Dunkelblau bis Hellgelb. Mit einer Pflanze hatte er besonders viele Probleme, deren Blüten die Farbe wechselten, je nachdem wie er sie ansah und hängte sie schließlich ans Ende, was besonders traurig aussah.

Er widmete sich dann dem Malen von Mustern auf die Schränke: Monde, Sterne, Wirbel - und die hintere Wand brauchte unbedingt ein Wandfresko. Während er sich entschied, was er malen sollte, wechselte er die Rührrichtung des Tranks, um seinen Muskeln etwas Linderung zu verschaffen. Er dachte an die Watchem Watchems und wie sie ihm geholfen hatten, und wusste, was er malen sollte.

Er fing mit dem Hintergrund des Waldes an und baute Schichten aus Bäumen und Büschen auf. Es war einfacher, Farbe aus seinen Gedanken zu benutzen, denn er musste nicht daran denken, die richtigen Farben auszuwählen - woran er sich erinnerte war die Farbe, zu denen sie wurden. Es machte Spaß. So viel, dass er nicht die Schritte hinter ihm hörte, oder auch nicht ihr Räuspern, als Lizzie dastand und ihm zusah. Er machte weiter, indem er sich nun selbst malte, wie er am Baum lag und der dunkelblaue Watchem auf sein Buch zeigte und die anderen sie umgaben. Als er schließlich fertig war, signierte er es unten. Er trat zurück, überließ das Umrühren seiner Magie und stieß gegen Lizzie.

„Hallo, Junge“, sagte sie ruhig.

Er schluckte hörbar. „Ich habe nur ...“

„Dich amüsiert?“, bot sie an. Er rutschte unbehaglich umher, da er nicht in der Lage war, ihren Gesichtsausdruck zu lesen. Sie ging zum Gemälde hinüber, sah im Vorbeigehen zu den Kräutern und Schränken und ließ ihre Hand an der Wand entlang gleiten, da die Farbe schon trocken war. „Das hier sind die Watchem Watchems, oder nicht?“

„Ja ... sie haben mir geholfen, heute Morgen eine der Pflanzen zu finden“, sagte er, während er den Topf wieder von Hand umrührte, um seine Hände davon abzuhalten, nervös zu zucken.

„Es ist mir nie aufgefallen, wie bunt sie sind. Wunderschön", murmelte sie. „Du hast deine Arbeit hervorragend gemacht, Junge. Ich glaube, ich behalte es."

„Wirklich?"

„Ja, mein Mann hätte es auch gemocht." Sie sah zur Uhr an der Wand. „Er sollte jetzt eigentlich fertig sein", sagte sie, indem sie zum Trank nickte. „Wir können ihn jetzt trinken."

Thordric sah zum Topf hinunter und entdeckte, dass alles tatsächlich fertig aussah. Während der Trank nur ein transparentes, fahles Grün war, als sie es aus dem Kessel gesiebt hatte, hatte er jetzt eine lebendige, fast leuchtende grüne Farbe. Er hörte dankbar damit auf zu rühren und trat zurück, sodass sie zwei Gläser füllen konnte.

„Hast du jemals einen ordentlichen Trank probiert, Junge?", fragte sie.

„Nein, ich habe noch keinen probiert. Mutter hat mich nie gelassen."

„Nun denn, ich rate dir, deine Nase zuzuhalten und ihn so schnell zu trinken wie du nur kannst. So wirkungsvoll die Tränke meines Mannes auch sind, sie schmecken alle ekelhaft. Hoch die Tassen", sagte sie, indem sie ihr Glas an seins stieß.

Er tat wie geheißen, aber der Trank war so stark, dass er ihn dennoch schmecken konnte. Es war wie wenn man dreckiges Waschwasser trinkt, kombiniert mit verdorbener Milch und wochenlang getragenen Socken. Er verschluckte sich fast. Lizzie selbst war einen Farbton grüner geworden, erholte sich aber schnell. „Ich glaube, ich mache ein wenig Tee und vielleicht sollten wir beide auch ein Stück Kuchen essen", sagte sie mit belegter Stimme.

Thordric konnte nicht sprechen, also nickte er einfach. Sein Körper fühlte sich komisch an und einen Augenblick lang zitterten seine Beine. Dann war es vorbei und er fühlte sich so gut, dass er ein Rad durch den ganzen Raum schlagen konnte.

„Wow. Der war wirklich stark. Woher wissen wir, dass er wirkt?“, fragte er.

„Das ist einfach. Wir sollten mindestens sechs Monate lang keine Erkältung mehr bekommen, egal wie lange wir draußen in der Kälte sind oder wie viel Zeit wir mit schon kranken Leuten verbringen.“

ELF
AUSSERHALB DES KÖRPERS

Thordric zitterte, als er im Garten stand, der groß genug für das Haus mit noch zusätzlichem Platz war. Er stampfte mit den Füßen auf, und sie machten im Schnee, der in der vorherigen Nacht stark gefallen war, gedämpfte Geräusche.

Obwohl es schon Vormittag war, war er noch nicht lange wach, da Lizzie ihn für seine nächste Aufgabe gut ausgeruht haben wollte. Sie war ein wenig vor ihm und stellte etwas zusammen, das wie ein großer Baumstamm mit komischen Ästen aussah. Als sie jedoch zurücktrat konnte er erkennen, was es wirklich war.

Es war ein hölzerner Mann, vielleicht so groß wie er, komplett mit Armen und Beinen. „Wozu ist das gut?", rief er ihr zu, indem er versuchte, seine Stimme den Wind übertönen zu lassen. Sie winkte ihm abschätzig mit der Hand zu, machte ein paar kleine Veränderungen und ging dann dorthin zurück, wo er stand. „Wozu ist das gut?", wiederholte er, als sie in Hörweite war.

Sie zog den dicken Schal herunter, der ihren Mund bedeckte. „Ein Ziel."

„Ein Ziel? Für was?", fragte er. Seine Ohren fingen an, taub zu werden, also zog er die Kapuze seines Umhangs nach oben. Der Wind blies sie wieder runter. Zumindest schien der Trank zu wirken; er fühlte sich überhaupt nicht krank.

„Für dich. Wie du siehst, habe ich es wie einen Mann aussehen lassen."

„Ja …?"

„Ich möchte, dass du es so bewegst, wie sich ein Mann bewegen würde", sagte sie. Er gaffte sie an, da er dachte, ihr Vorschlag sei so lächerlich, als hätte sie verkündet, dass sie selbst Kräfte besäße. Jeder wusste, wie absurd das war. Vollmagier waren immer Männer und das galt auch für Halbmagier, obwohl niemand den Grund dafür kannte. Soweit er wusste, hatte keine Frau in der gesamten Geschichte je magische Kräfte gehabt.

„Ich muss es gehen lassen? Bist du dir sicher, dass das möglich ist?"

Sie sah ihn an, während sie ihre Augenbraue anhob. Er schloss seinen Mund. „Ich werde es versuchen", sagte er.

„Wunderbar", sagte sie und ging zurück ins Innere.

„Wie soll ich dich dazu bringen, dich zu bewegen?", fragte er den Holzmann. Wie erwartet antwortete er nicht. Er versuchte, einen der Arme auf die gleiche Art zu bewegen, wie er die Axt erhoben hatte. Es funktionierte, aber die Bewegung war zu steif, und überhaupt, wie sollte er alle Gliedmaßen sich gleichzeitig so bewegen lassen? Er musste etwas Anderes ausprobieren.

Er zog an der Figur und hoffte, dass sie selbst weitergehen würde, wenn er das tat. Alles, was geschah war, dass sie in einen großen Schneehaufen kippte.

Thordric fluchte.

Einen Augenblick später gab es ein Klopfen am Fenster hinter ihm. Er drehte sich um und sah, wie Lizzie ihn beobachtete und ihren Kopf schüttelte. Sie öffnete die Hintertür. „Du brauchst nicht diese Sprache zu benutzen, Junge. Geh es langsam an und bedenke alles gründlich. Es wird dann schon kommen“, sagte sie und ging zurück.

Resigniert ging er zur Figur und grub etwas Schnee weg, der sie nun umgab. Seine Finger fühlten sich an, als sei er von einem besonders wilden Tier gebissen worden. Als sie frei war, benutzte er seine Kräfte, sie in ihrer ursprünglichen Position wieder aufzustellen. Er trat zurück, um sie anzusehen, und nahm ihr grob geformtes Gesicht und ihren Torso wahr. Vielleicht war der Trick, sich vorzustellen, dass sie *wirklich* ein Mann war.

Er malte ein Gesicht und fügte Haare und einen Bart hinzu und nahm einen Ersatzumhang, um ihn der Figur umzuhängen. Er stapfte wieder zu seinem Platz zurück, drehte sich um und sah sie aus der Entfernung an. Sie war wesentlich überzeugender. Er machte sich selbst glauben, dass sie ein freundlicher Besucher sei, der im tiefen Schnee langsam auf ihn zukam und zwang ihr seinen Willen auf. Sie bewegte sich nicht.

Er trat gegen einen Stein am Boden und schickte ihn in eine Baumgruppe. „Ich war so sicher, dass es funktionieren würde! Verdorbene Cremetorte!“, fluchte er höflich, falls Lizzie noch da war. „Also, was mache ich jetzt mit dir?“

„Nichts, du hast schon genug getan“, erwiderte Lizzie hinter ihm. „Komm rein und arbeite noch ein bisschen am Illusionszauber.“

Er folgte ihr ins Innere, da er mit der Figur nicht länger als er musste draußen bleiben wollte. Wenn er wieder versagt haben sollte, würde er seine Holzschnitzkünste an ihr ausprobieren.

Während Lizzie alle Töpfe für ihn herausräumte, mit denen er arbeiten sollte, wärmte er sich am Herd und fand, dass sich seine Finger fast vollständig erholt hatten. Er beschloss, seine Stiefel auszuziehen und dasselbe mit seinen Zehen zu machen. Erleichterung breitete sich in seinem Körper aus, als sie auftauten. Es war herrlich.

„Komm schon, Junge. Zeig mir, was du mit denen hier heute machen kannst", sagte sie und zog einen Stuhl für ihn heran. Er setzte sich dankbar. Überraschenderweise setzte sie sich ebenfalls. „Nach gestern dachte ich, ich sollte hierbleiben und dir zusehen, falls du dich zu sehr anstrengst."

Er zuckte die Schultern und machte sich an die Arbeit. Er nahm wieder den kleinen Topf auf, dieses Mal strich er mit der Hand über ihn, als würde er ihn wirklich mit Tuch bedecken, und erzwang gleichzeitig, dass es geschah. Er sah auf Lizzies Gesicht ein flüchtiges Lächeln, als die Illusion des Tuchs über dem Topf erschien und seiner Hand folgte.

Genau wie am Tag zuvor passte er es genau der Form des Topfs an und bemerkte, wie einfach es jetzt zu sein schien. Natürlich war es nicht so, wie Lizzie es vorgegeben hatte. Sie wollte, dass sie zerbeult aussehen, als bräuchten sie dringend eine Reparatur und dafür würde er wirklich seine ganze Vorstellungskraft benutzen müssen.

Er ließ das Weiß des Tuchs verblassen, machte es fast vollständig transparent, nur gerade mit genug Farbe, um zu wissen, dass es noch da war. Dann fing er an, als malte er, ihn mit Schattierungen zu verzieren und zog das Tuch so zurecht, um ihm Dellen zu verpassen. Das ließ ihn wieder schwitzen, aber Lizzie sagte nichts, sodass er weitermachte. Er fügte immer mehr Details und alles, woran er sich von den Töpfen, die er repariert hatte, erinnerte, hinzu. Er versuchte den Effekt so hinzukriegen, dass er mit der Beleuchtung zusammen funktionierte, aber dann begann er wieder zu zittern.

„Junge, du solltest jetzt aufhören", sagte Lizzie, aber er hörte sie nicht. Er wusste, dass er es tun konnte, wusste, dass er es richtig hinkriegen konnte, und arbeitete jedes bisschen Magie ein, das er zur Verfügung hatte. Seine Atmung wurde flach und angestrengt, aber er war fast fertig. Nur noch ein paar Details ...

Er fiel wieder auf den Stuhl zurück und hielt schwach den Topf hoch, sodass Lizzie ihn inspizieren konnte. „Du hast es geschafft", sagte sie leise. „Du hast es wirklich geschafft."

Sie stand auf und ließ den Topf auf dem Tisch zurück. Zu Thordrics Überraschung hielt die Illusion, obwohl er nicht sagen konnte, ob er Magie benutzte, um sie aufrecht zu erhalten. Als sie einen Moment später zurückkam, hatte sie ein großes Tablett mit Tee und Kuchen dabei. Er grub hungrig seine Finger hinein und der Zucker gab ihm sofort seine volle Kraft zurück.

„Du kannst dir den Rest des Tages freinehmen, Junge", sagte sie, als sie ihm ein weiteres Stück Kuchen gab.

„Wirklich? Dankesch ..." Er hielt inne, der Kuchen schwebte vor seinem Mund.

„Junge? Was ist los?"

„Mir war gerade ein Gedanke gekommen. Der hölzerne Mann draußen. Du sagtest, ich muss ihn sich so bewegen lassen wie es ein Mann tut."

„Ja", sagte sie nickend.

„Nun, ich erinnere mich, dass ich mal in einem Puppentheater war und der Puppenspieler hatte einen Miniaturmann aus Holz und er ließ ihn sich bewegen, als sei er real", sagte er. Er sah ihr Lächeln. „Es hat mich zum Nachdenken gebracht, ob ich das auch tun könnte."

„Wirst du es versuchen?", fragte sie ihn.

„Ja. Ja, ich glaube schon." Er trank seinen Tee aus, zog dann seine Stiefel und seinen Umhang an und verschwand durch die Tür.

Draußen war der Holzmann dort, wo er ihn zurückgelassen hatte, nur mit dem Unterschied, dass sich nun eine Menge Schnee um ihn herum angehäuft hatte. Er räumte ihn durch einen winzigen Gedanken weg und wunderte sich darüber, wie einfach alles wurde, je mehr er es tat.

„Genau, du da!", rief er dem hölzernen Mann zu. „Du wirst dich diesmal bewegen, und bewege dich gut!"

Seile erschienen, befestigten sich von alleine an Kopf und Gliedmaßen des Mannes, genauso wie es Thordric im Theater gesehen hatte. Er zog an ihnen, stellte sicher, dass sie gut befestigt waren, und dann versuchte er, ihn sich bewegen zu lassen. Zuerst bewegte sich ein Bein, dann das andere, und die Arme schwangen in entgegengesetzter Reihenfolge. Es funktionierte. Er bewegte den Kopf, als sähe er sich um, und ließ ihn ein paar weitere Schritte nach vorne gehen.

„Ich hasse es, dich zu enttäuschen", sagte Lizzie, als sie zu ihm kam und neben ihn stellte. „Aber er geht nicht genau wie ein Mann. Es sieht *immer noch* wie bei einer Puppe aus."

Sein Magen verkrampfte sich. Sie hatte natürlich recht. Auch wenn er ihn sich hatte bewegen lassen, war es nicht wirklich überzeugend gewesen. Er musste einen Weg finden, dass sich die Knie beugten und es gab kein Gefühl von Gewicht bei seinen Bewegungen. Aber er hatte keine Ideen mehr.

„Denke den Rest des Tages darüber nach. Du bist schon nah dran, Junge. Ich kann mir nicht vorstellen, dass du noch lange brauchst, es herauszufinden."

„Das hoffe ich", sagte er, als sie beide hineingingen.

Seine Träume waren in jener Nacht chaotisch, sie sprangen von Ort zu Ort, und Gesichter erschienen überall, von denen er dachte, er würde sie kennen. Er sah, wie sich die Puppe auf ein Meer von verbeulten Töpfen zu bewegte. Dann verwandelte sich die Puppe in den toten Körper Kalljards, der neben ihm stand und unzusammenhängende Wörter sagte, umgeben von Watchem Watchems, die um ihn herum zeigten und gluckten und tanzten: herum und herum und herum ...

Er war nassgeschwitzt, als er aufwachte, und seine Muskeln zitterten. Es war noch nicht an der Zeit, dass Lizzie ihn aufweckte, aber er war dennoch vollkommen wach. Da er aus seinem feuchten Schlafanzug heraus wollte, ließ er ein Bad ein und erhitzte abwesend das Wasser, als es aus dem Hahn kam. Er zog seine Kleidung aus und stieg hinein, er ließ das warme Wasser sich wie eine Decke um ihn legen.

Seine Gedanken wanderten zum Revier und er fragte sich plötzlich, wie die Ermittlungen in seiner Abwesenheit liefen. Er fühlte sich leicht schuldig, dass er bis jetzt nicht daran gedacht hatte. Hatte der Inspector schon alle befragt? Magier Rarn war unter den Verdächtigen, das wusste er, und wenn jemand verhaftet worden war, dann vermutlich er. Aber Thordric konnte ihn sich immer noch nicht als Täter vorstellen. Seine Magie musste schwach gewesen sein, denn nur die Magier von geringerer Magie verrichteten Hausarbeiten, und Kalljards Mörder musste jemand von höherem Rang gewesen sein, jemand, mit dem Kalljard regelmäßig Kontakt hatte. Leider war diese Liste sehr lang.

Thordric seufzte und sank ins Bad zurück. Er hatte hier nur noch wenige Tage übrig, und wenn er zurückkam, würde der Fall auf seinen Schultern ruhen. Wenn er versagte, wäre der Inspector nicht erfreut. Er musste herausfinden, wie er den Holzmann überzeugend bewegen konnte. Er war sich nicht sicher, inweiweit das dem Fall helfen würde, aber er glaubte, dass Lizzie ihm nur Magie beibringen würde, die sie für relevant hielt. Er würde es heute hinkriegen. Das würde er, wenn er nur herausfinden könnte, wie er es tun sollte.

„Junge? Junge, dein Frühstück ist fertig“, rief Lizzie.

Er stieg aus der Badewanne, verspritzte überall Wasser, und trocknete sich schnell mit einem der flauschigen rosa Handtücher ab, die sie ihm dagelassen hatte. Indem er ein paar Kleidungsstücke überzog, ging er runter und die Korridore entlang in die Küche.

„Geht es dir gut, Junge?“, fragte sie, während sie ihm einen Toller voll frischer Brötchen und Butter reichte.

„Es geht mir ... gut. Ich hatte nur ein paar Albträume.“ Er stopfte ein halbes Brötchen in seinen Mund und spülte es mit dem Tee herunter, den sie neben ihn gestellt hatte.

„Haben sie dir eine Einsicht gebracht?“, fragte sie.

„Was meinst du? Es war alles ein einziges Durcheinander und Chaos. Ich bin aufgewacht und fühlte mich, als sei mein Kopf gespalten.“

Sie kicherte. „Manchmal, wenn Magier träumen, hilft es ihnen, bestimmte Dinge zu verstehen oder zu realisieren. Mein Mann hat viel aus seinen Träumen gelernt.“

„Dann hatte er Glück. Ich habe nichts außer einem Schauer bekommen.“

Thordric ging wieder nach draußen, als sie mit dem Essen fertig waren. Dort hatte es nachts sogar noch mehr geschneit und es schneite immer noch, als er nach draußen ging. Er blies den Haufen, der den Holzmann bedeckte, weg und fing an, über neue Möglichkeiten nachzudenken, wie er ihn zum Gehen bringen konnte. Er war mit der Puppenidee nah dran gewesen, hatte sie gesagt. Was, wenn es die Seile waren, die ihn falsch gehen ließen? Es *gab wirklich* andere Arten, wie man Puppen sich bewegen lassen konnte, das wusste er. Wie Handpuppen, bei denen es so aussieht, als ob der Puppenspieler seine Hand an der Rückseite der Puppe hat. Er mochte das eigentlich nicht tun, nicht einmal mit einer magischen Hand.

Er trat nach dem Schnee, zeichnete lustlos ein paar Muster und ging auf den Mann zu, um ihn sich näher zu betrachten. Er lachte, als er sah, dass der Umhang, den er ihm angezogen hatte, während der Nacht festgefroren war, zusammen mit den Haaren und dem Bart, was alles voller Eiszapfen war. Er streckte die Hand aus, um sie zum Schmelzen zu bringen, aber sobald er die Figur berührte, spürte er ein neugierig anziehendes Gefühl. Er zog seine Hand zurück und fragte sich, ob es etwas Anderes war, aber das Ziehen hörte auf. Als er sie nochmals leicht berührte, spürte er noch ein Ziehen. Es war so, als wollte sie, dass er hineingezogen wurde.

Eine Idee kam ihm so klar vor Augen, dass sie alle anderen vernünftigen Ideen aus seinem Kopf verbannte. War es überhaupt möglich? Er stellte sich vor, wie Lizzie neben ihm stand und sich vorbereitete, seine Knöchel mit ihrem Nudelholz zu behandeln, weil er blöde Fragen stellte. Es gab nur einen Weg herauszufinden, ob es möglich war oder nicht, und das war, es zu versuchen.

Er drückte seine Hand gegen das Holz und benutzte seine Kräfte. Er spürte seinen Geist in das Holz eindringen, so weich wie durch Butter, und plötzlich sah er die Dinge aus einer anderen Perspektive. Der hölzerne Mann hatte keine richtigen Augen und offensichtlich gab es für ihn keine Möglichkeit nach draußen zu sehen, wenn sie nicht vorhanden waren. Stattdessen schien er leicht über ihm zu schweben und konnte sehen, wie sein Körper immer noch den Kopf des hölzernen Mannes berührte. Er versuchte, sich zu bewegen, aber sein Körper blieb starr. Der hölzerne Mann aber nicht.

Er schwang seine Arme und bewegte dann seine Beine, alles in einer Einheit mit seinen Gedanken. Nun verstand er, was Lizzie gemeint hatte. Er war nah dran gewesen, aber er hatte aus der falschen Perspektive heraus darüber nachgedacht. Er hatte versucht, Werkzeuge zu benutzen, um ihn zu bewegen, wobei er ihn doch nur aus dem Inneren heraus bewegen musste.

Mit seinem auf dem Gesicht des hölzernen Mannes unsichtbaren Grinsen ließ er ihn seinen Körper anheben und ihn zur Hintertür des Hauses bringen. Dort ließ er ihn die Tür öffnen und reingehen. Es war komisch alles aus diesem Blickwinkel zu sehen, aber es ließ ihn über alles auf andere Art nachdenken.

Er führte ihn in die Küche, da er wusste, dass Lizzie dort sein würde, stieß die Tür auf und marschierte hinein. Wie immer drehte sie sich nicht direkt um, sprach aber dennoch mit ihm. Er ließ den hölzernen Mann, der immer noch seinen Körper hielt, so leise er konnte hinter sie schleichen.

„Hattest du Glück, Junge?", sagte sie. „Ich konnte dich nicht fluchen hören, also nehme ich an, dass du ..." Sie drehte sich um und stieß einen lauten Schrei aus. Er lachte so sehr, dass er den hölzernen Mann erzittern ließ.

ZWÖLF
EINE TRAURIGE VERGANGENHEIT

„Junge, erschreck mich nie wieder so!", sagte Lizzie und suchte auf einem Stuhl Zuflucht. „Ich bin nicht mehr so jung wie ich mal war."

Thordric versuchte sich zu entschuldigen, aber er war immer noch im Körper des hölzernen Mannes und es drang kein Geräusch nach draußen. Er zog langsam seinen Geist zurück und ließ ihn wieder in seinen eigenen Körper. Die Empfindung war sehr merkwürdig, von grobem Holz in warmes Fleisch zu gehen. Der hölzerne Mann fiel mit einem dumpfen Aufschlag zu Boden und Thordric stand wieder in seinen wirklichen Körper auf. Er fühlte sich gefroren und musste sich wie ein Sportler aufwärmen, um sich von all den Verspannungen zu lösen, die sich in seinem Nacken und Rücken gebildet hatten.

„Das hast du sehr gut gemacht, Junge. Mein Patrick brauchte fast drei Wochen, um es herauszufinden, und dann hatte er trotzdem fast noch eine Panikattacke, wieder zurück zu wechseln."

Thordric grinste. „Also, was muss ich sonst noch lernen?",

sagte er und setzte sich zu ihr, als sie sich auf einen der Stühle setzte.

„Es gibt noch viel für dich zu lernen, aber für die Untersuchung, glaube ich, ist das alles, was du wissen musst."

„Aber nichts davon scheint mir relevant. Ich weiß, dass du sagst, dass es das ist, aber ich kann es nicht verstehen."

„Wenn du erst einmal in die Stadt zurückkommst, sollte alles anfangen, einen Sinn zu ergeben. Denk dran, indem du diese Magie erlernst, lernst du nicht nur, wie man es macht, sondern auch, wie man bemerkt, dass sie jemand anderes angewendet hat."

Er sah sie an, während sie abwesend einen Fleck vom Tisch wischte. Er zögerte. „Lizzie?"

„Ja, mein Junge?"

„Glaubst du wirklich, dass ich diesen Fall lösen kann?"

„Ja, Junge, das tue ich. Du hast einen scharfen Verstand und du bist wirklich gut im Aufnehmen kleiner Details. Du wirst herausfinden, wer es getan hat, und du wirst ihn auch nicht fragen müssen, wie er es getan hat." Sie stand auf, ging zu den Schränken und holte Töpfe und Pfannen hervor. Sie nahm seinen Gesichtsausdruck wahr und lachte. „Keine Sorge, Junge, du brauchst eine Pause von der ganzen Arbeit an Zaubern. Ich werde dich jetzt nichts mehr üben lassen, ich benutze sie nur, um mit dem Mittagessen anzufangen."

Er atmete langsam aus. „Was soll ich dann tun?"

„Nun ja, du hast zwei Möglichkeiten. Entweder du kannst mit diesem Trank gegen Reisekrankheit anfangen, oder du kannst mir in der Küche helfen. Ich würde es vorziehen, wenn du das Erstere tätest, denn ich mag es nicht, wenn andere Leute dabei sind, während ich koche."

Thordric verließ schnell den Raum, vergaß seine Bücher und musste zurückgehen, um sie zu holen. Dann erinnerte er sich, dass er den Kessel nicht wieder an seinen Platz gestellt hatte, und ging wieder zurück. Er musste den Tisch an die Wand schieben, was bedeutete, dass er Lizzie störte, als sie das Gemüse schnitt. Als er fertig war, eilte er nach draußen und in den Wald.

Er ging, wie zuvor, die Mauer des Hauses entlang, da er sich an die Tür erinnerte, wo er zuerst die *Große Männernase* gefunden hatte. Er eilte wieder zurück, da er sich entschlossen hatte herauszufinden, wie man aus dem Inneren des Hauses dorthin kam. Er wusste, dass es vermutlich einen Korridor entlang ging, den er noch nicht kannte, und er ging das Risiko ein, Lizzie nochmal zu stören und fragte sie, ob sie eine Karte hätte, der er folgen konnte.

„Was für eine Tür ist das? Die einzigen Türen, die ich an der Außenwand des Hauses kenne, sind die Vorder- und Hintertür. Ich habe noch nie eine am Ende des Hauses gesehen“, sagte sie, indem sie die Schöpfkelle, die sie benutzt hatte, an ihre Wange hielt. Sie hatte vergessen, wie heiß sie war, legte sie schnell weg und dachte wieder ans Essen.

„Nun ja, sie ist da. Fast so groß wie die Vordertür, aber sie ist eher rötlich und hat ein vollkommen verrostetes Schloss.“

Lizzie drehte sich um und sah ihn an. Ihr Gesicht war rot, da sie so nah am Herd stand, und ihr Haarknoten war aufgegangen. „Ich kann mich nicht mehr erinnern, welche Räume es am Ende des Hauses gibt, ich war so lange nicht mehr drin ...“

„*Hast du* denn irgendeine Karte?“, fragte er.

„Nein, ich ... warte“, sagte sie. Als sie die Schöpfkelle in den Topf gestellt hatte, ging sie aus dem Raum. Thordric fragte sich, ob er den Eintopf, den sie gerade kochte weiter rühren oder auf die Pastete, die er riechen konnte, aufpassen sollte, aber er traute sich irgendwie nicht. Er stand einfach nur neben dem Herd und sah zu, dass nichts überkochte.

Er stand für zumindest eine Viertelstunde da, bevor er vom Korridor her hörte, dass sie nach ihm rief. Er ging hinaus, um zu sehen, wo sie war, und fand sie in dem Raum, in dem er die Abdeckung für den Kessel gewebt hatte. Sie war mit dem Ausbreiten von großen Blättern auf dem Schreibtisch beschäftigt. Er hustete, als er den dicken Staub, der in der Luft hing, einatmete.

„Komm her, Junge, und roll den Rest hier für mich aus“, sagte sie. Er ging zum Schreibtisch und nahm die ihm am nächsten liegende Papierrolle. Er erwischte nicht nur Staub, sondern auch einen starken Hauch von Schimmel. Er öffnete die Seidenschleife und breitete die Rolle auf dem Tisch aus. Darauf war in verblasster Tinte eine Karte des Waldes gezeichnet. Zuerst dachte er, es sei Watchem Woods aber dann sah er oben einen Namen: Wald von Teroosa.

„Ich dachte, du suchst nach einer Karte des Hauses?“, fragte er, während er eine weitere ausbreitete, die einen anderen Wald zeigte.

„Keine Karte, die originalen Baupläne. Patrick hat dieses Haus selbst gebaut, also sollten sie hier irgendwo sein.“

„Warum gibt es so viele Waldkarten?“, sagt er und breitete eine weitere aus.

„Das ist Patricks Werk. Wenn er ein Pflanzenbuch schrieb, bereiste er alle Wälder im ganzen Land. Um es ihm einfacher zu machen, wo welche Pflanze wuchs, hat er alle aufgezeichnet.“

„Oh“, sagte er, während er eine weitere ausbreitete. „Hey, diese hier ist anders. Ich glaube, das könnte sie sein – siehst du, das sieht hier wie die Vordertür aus. Und ja – hier ist dir Küche.“ Er zeigte mit dem Finger auf die Räume.

„Das ist sie! Ich wusste, dass sie hier irgendwo ist. Lass mich mal sehen.“ Sie bugsierte ihn aus dem Weg und breitete die Karte flach auf dem Tisch aus. Sie bewegte ihre Finger über sie und murmelte leise. „Ist das hier, wo die Tür ist, die du meinst?", fragte sie, während die auf das Ende des Hauses tippte.

„Ja, genau dort ist sie."

„Hm. Vielleicht wurde sie erst eingebaut, nachdem diese Pläne erstellt wurden. Sie ist auf jeden Fall nicht verzeichnet." Sie gab ihm die Karte. „Hier."

Thordric nahm sie und ging wieder den Korridor zurück. Er bemerkte eine Rauchwolke aus der Küchentür austreten und eilte in die andere Richtung, bevor Lizzie ihn dafür schelten konnte, sie abgelenkt zu haben.

Die Karte führte ihn den Korridor entlang, wo sich die Treppe zu seinem Schlafzimmer befand, ging aber noch weiter. Dort unten war es schwarz, viel zu dunkel, als dass er etwas sehen konnte, um nicht in etwas hineinzulaufen. Er tastete an der Wand nach den Lichtkugeln und schüttelte sie. Die plötzliche Helligkeit ließ seine Augen schmerzen und er stolperte blinzelnd nach vorne.

Als er sich erholt hatte, sah er wieder auf die Karte. Wegen seiner Blindheit war er geradewegs an der Abzweigung vorbei gegangen, die er hätte nehmen müssen, und musste seine Schritte wieder nachvollziehen. Er zündete noch mehr Lichtkugeln an, dieses Mal war er auf die Helligkeit vorbereitet, und ging weiter, dem Korridor bis zu seinem Ende folgend. Die Pläne zeigten mehrere weitere Abzweigungen, um zum Raum zu kommen, in dem sich die Tür befinden sollte, und er folgte ihnen mit dem Gefühl, dass er den falschen Weg nahm. Es gab etwas an diesem Haus, das seinen Orientierungssinn verwirrte, nicht nur die komplizierten Abzweigungen überall.

Er wollte gerade umkehren und den Korridor wieder zurückgehen, der sich richtig anfühlte, als er geradewegs in einen großen Raum ging, der überhaupt keine Tür hatte. Er sah wieder auf die Karte. Das hätte der Raum auf der anderen Seite der Außentür sein sollen, aber dort, wo er sie erwartet hätte, gab es nur einen eingebauten Schrank. Er sah sich im Rest des Raums um und fand heraus, dass die Wände mit Bücherregalen gesäumt waren, ziemlich so wie die in den Gemächern des Hochmagiers Kalljard, außer dass sie alle leer waren. In der Mitte stand ein Tisch und ein Stuhl mit Lederrücken, aber nichts Anderes. Alles war zentimeterdick mit Staub bedeckt und Spinnweben waberten um ihn herum. Es war kein Wunder, dass sich Lizzie nicht an diesen Raum erinnern konnte.

Als Vorsichtsmaßnahme ging er in den Schrank und klopfte an die Rückwand, falls sie falsch gewesen wäre. Aber das war sie nicht. Die Mauer bestand aus festem Stein. Er versuchte dasselbe mit den Seiten und den anderen Teilen des Raums, wo er zur Mauer kommen konnte. Dort gab es auf jeden Fall keine Tür.

Ernüchtert ging er den langen Weg zum Teil des Hauses zurück, den er kannte, und legte den Bauplan zurück in den Raum mit den ganzen Karten. Er wollte Lizzie immer noch aus dem Weg gehen, also kritzelte er eine kleine Nachricht für sie und schob sie unter der Küchentür hindurch, bevor er rausging.

Er wollte die Zutaten für den Zauberspruch gegen Reisekrankheit sammeln, aber seine Neugier war viel zu stark. Das Wetter war eiskalt und der Schnee lag höher als seine Fußknöchel, dennoch ging er das Haus entlang, um die rote Tür wiederzufinden. Sie war noch da, was seinen Gedanken zur Seite schob, dass sie nur seiner Einbildung entsprungen sein könnte. Er sah sie sich dieses Mal genau an und erkannte, dass die rötliche Farbe in Wirklichkeit Rost war. Er hatte gedacht, es seien nur die Scharniere gewesen, die davon betroffen waren.

Er streckte seine Hand aus, um sie zu berühren, ließ sie aber einen Zentimeter davor in der Luft innehalten. Irgendetwas war falsch. Ein merkwürdiges Kribbeln erfüllte seine

Fingerspitzen und erwärmte sie. Ein starker Verdacht wuchs in seinem Geist an, und er streckte seine Hand ganz aus und drückte sie an die Tür. Sie fühlte sich glatt an, glatter als sie hätte sein sollen. Er lächelte. Es war eine Illusion.

Er ignorierte, was Lizzie über das Ausruhen seines Geistes gesagt hatte und drückte gegen die Illusion. Er konnte fühlen, wie sie gemacht worden war. Es war auf die gleiche Art geschehen, wie er seine Illusion auf dem Topf gemacht hatte. Alles, was er tun musste war, den tuchartigen Teil zurückzuziehen und der Zauber würde sich auflösen. Er versuchte es, indem er kräftig zog, und er begann sich zu bewegen. Er schaffte es, einen stärkeren Halt zu bekommen, und mit einem letzten Zug löste er sich auf und gab frei, was die Tür wirklich war. Thordric atmete tief ein. Es war ein Safe.

Der Schnee knirschte hinter ihm und er drehte sich um und sah Lizzie, die in einen Wollumhang gekleidet war. „Das Mittagessen ist fe ... was ist das?“, fragte sie zeigend. „Ich dachte, du hättest gesagt, dass hier eine Tür wäre?“

„Richtig“, sagte er. „Aber es war eine Illusion. Was auch immer hier drin ist, jemand wollte nicht, dass man es findet.“

Lizzie ging näher an den Safe heran. Er war viel kleiner als die Tür gewesen war und nur 30 Zentimeter breit. „Das habe ich noch nie gesehen“, flüsterte sie.

„Soll ich ihn öffnen?“, fragte er.

„Ich ... ja, ich denke, das solltest du“, sagte sie.

Indem er den Kombinationsmechanismus ignorierte konzentrierte er seine Magie auf die Scharniere. Er löste die Schrauben und hob die Tür ab, dann kauerte er sich hin, um zu sehen, was sich im Inneren befand. Ein Buch und eine kleine hölzerne Flöte. Er hob sie heraus, um sie Lizzie zu zeigen.

Sie starrte die Gegenstände an, während ihr Gesicht bleicher wurde. Sie nahm ihm die Flöte ab und rollte sie in ihren Händen hin und her. „Die gehörte meinem Sohn. Ich ... ich habe sie nicht mehr gesehen, seit er gegangen ist." Sie setzte sie an ihre Lippen an und spielte ein paar Noten, der Klang erschien in der Frische der Luft hell und fröhlich. „Sie klingt noch genauso wie wenn er sie gespielt hat."

Er sah, wie sich ihre Augen mit Wasser füllten, aber sie wischte die Tränen ungeduldig weg. Sie streckte ihre Hand nach dem Buch aus und er gab es ihr. Die Vorderseite war verblasst und sie blinzelte, als sie herauszufinden versuchte, was darauf stand. Sie schüttelte ihren Kopf und öffnete es, dann las sie ein paar Zeilen. „Das ist Patricks Tagebuch", flüsterte sie, ihre Tränen flossen nun ungehindert. Thordric stand verlegen da, er war unsicher, was er tun sollte.

„Junge, komm mit mir zurück rein", sagte sie schniefend. „Dein Mittagessen wird kalt."

Er folgte ihr ins Haus zurück und sie gingen in die Küche. Er sah, dass sie schon sein Essen auf den Tisch gestellt hatte, der immer noch zur Seite geschoben dastand, wo er ihn zurückgelassen hatte. Er setzte sich wortlos hin und wartete, dass sie etwas sagte. Das tat sie nicht. Sie saß am anderen Ende und blätterte durch das Buch, die Flöte immer noch in ihrer Hand haltend. Er wollte nicht, dass sein Essen kalt wurde und fing an zu essen, wobei er plötzlich bemerkte, dass er ausgehungert war. Er war fast fertig, als sie schließlich sprach.

„Ich habe nicht gewusst, dass er überhaupt ein Tagebuch führte", sagte sie. Thordric hörte auf, sich alles in den Mund zu stopfen und sah sie an. Er fragte sich, ob sie zu ihm sprach oder nur ihre Gedanken laut aussprach. „Zumindest keins über Magie."

„Ist es das, was er dann dort aufgeschrieben hat ... seine Magie?", sagte er.

Sie sah ihn an, als ob sie sich jetzt erst erinnerte, dass er da war. „Ja ... das glaube ich. Ich habe nicht viel gelesen, aber es scheint um die Zauber zu gehen, die er anzuwenden versucht hat, und seine Methoden, um sie zum Funktionieren zu bringen." Sie blätterte ans Ende des Buchs. „Was mich verwirrt ist der letzte Eintrag, den er geschrieben hat. Er spricht über Kalljard und sagt, dass man ihn aufhalten muss. Das wurde am Tag vor Patricks Tod geschrieben."

Thordric rutschte nervös auf seinem Stuhl herum. „Glaubst du, er wollte, dass Kalljard stirbt?"

„Tot? Nein, das nicht. Aber ich denke, dass er versuchen wollte, den Rat aufzubrechen. Er wollte beweisen - so wie du - was Halbmagier zu tun in der Lage sind und versuchen, sie zu überzeugen, dass sie auch ein Recht haben, Mitglieder im Rat zu sein."

Thordric legte seine Stirn in Falten. „Wie, sagtest du nochmal, ist er gestorben?"

„Er hat einen Zauber an sich selbst benutzt, oder so etwas, wie der Pathologe sagte. Es ist schrecklich schief gegangen."

„Weißt du, welcher Zauber?", sagte er, während sich sein Magen zusammenzog.

„Ich habe keine Ahnung. Ich war zu der Zeit zu aufgeregt, um darüber nachzudenken, und mein Bruder ließ mich die Leiche nicht sehen, bis sie vollständig für das Begräbnis vorbereitet war." Sie las die letzte Seite wieder, seufzte und schloss das Buch.

Thordric erinnerte sich daran zurück, als Lizzie ihm zum ersten Mal über ihren Mann erzählt hatte. „Er hatte am Tag, an dem er das schrieb, einen Streit mit einem Ratsmitglied, oder nicht?", sagte er.

„Ja."

Es scheint ein wenig merkwürdig, dass er am nächsten Tag starb, oder glaubst du nicht?" Er sah sie ernst an und sah, wie es ihr dämmerte, was er damit sagen wollte.

Sie stand auf und nahm seinen leeren Teller zum Waschbecken mit, brachte ihm dann ein Stück Kuchen und einen

Becher mit warmem Tee. „Das ist *sehr* merkwürdig, Junge. Besonders, wenn man die Magie bedenkt, zu der er in der Lage war. Aber wen klage ich an? Ich habe versucht, meinem Bruder von dem Streit zu erzählen, den Patrick und dieser Magier hatten, aber er sagte, ich hätte einen Schock und sagte mir, ich solle zu Hause bleiben und mich ausruhen. Kurz danach lief mein Sohn fort.“ Sie nahm wieder die Flöte und spürte mit ihren Fingern ihre Glattheit. „Ich hatte am Ende nicht die Kraft, über alles zu diskutieren.“

DREIZEHN
REIZENDER SONNENSTRAHL

Der Trank gegen Reisekrankheit funktionierte gut. Sie waren seit mehr als einer Stunde in der Kutsche und Thordric hatte nichts davon gespürt. Jetzt hatte er einen freien Kopf, um die Ereignisse der letzten Tage Revue passieren zu lassen, was ihm Zeit gab, aufzunehmen, wie viel er wirklich gelernt hatte.

Weniger als zwei Wochen zuvor hatte er seine Magie überhaupt nicht benutzt und hatte nichts darüber gewusst, wie man Zauber benutzte und Tränke herstellte. Aber nun konnte er es, dank Lizzie. Er wusste, wie man Objekte schweben ließ, ohne einen Pinsel malte, unbelebte Objekte zum Leben erweckte und Illusionen hervorrief.

In den letzten Tagen im Haus in der Nähe von Watchem Woods hatte er seinen Illusionszauber perfektioniert und war in der Lage gewesen, ihn auf den ganzen Haufen Töpfe anzuwenden, den Lizzie für ihn aufgetürmt hatte. Er hatte sich bemüht, alles zu lernen, was Lizzie ihn gelehrt hatte und er hatte es genossen. Aber nun war er auf dem Weg nach Hause.

Zurück zum Revier, zurück zur Entdeckung des Mörders von Kalljard.

„Was denkst du, Junge?", fragte Lizzie neben ihm. Sie trug wieder ihr schickes Kleid, aber Thordric hatte das Gefühl, dass sie sich in der Landkleidung, die sie in der letzten Woche getragen hatte, wohler fühlte.

„Ich habe über den Fall nachgedacht. Über Kalljard und den Rat der Magier ... und darüber, ob sie irgendetwas mit dem Tod deines Mannes zu tun hatten." Das stimmte, denn seit sie das Tagebuch gefunden hatten, war das alles, woran er denken konnte. Zu denken, dass der Rat vielleicht für den Tod von jemandem verantwortlich war, der seine Gewohnheiten in Frage gestellt hatte: Es war ekelhaft. Falls sie es wirklich getan hatten, dann war der ganze Rat verantwortlich, oder einfach nur Kalljard? Es war wohlbekannt, dass Kalljard von allen äußersten Respekt und Verehrung eingefordert hatte, sodass jeder, der ihn herausforderte, eine ernsthafte Bedrohung darstellte.

Lizzie seufzte. „Darüber musst du dir nicht den Kopf zerbrechen, Junge. Konzentriere dich darauf, herauszufinden, wer für Kalljards Tod verantwortlich ist. Mein Mann war geduldig, ich bin mir sicher, dass er wollen würde, dass ich auch geduldig bin. Wir können seinen Tod untersuchen, nachdem all das hier zu Ende ist."

„Wenn du meinst, Lizzie. Aber ich bin schon ganz aufgeregt, mich mit dem Rat zu befassen. Sie werden herausfinden, dass ich ein Halbmagier bin, falls ich meine Magie benutzen muss. Das wird ihnen nicht gefallen."

„Nein, das wird es nicht. Aber du musst sie dazu bringen, es zu akzeptieren. Du bist genauso gut wie sie und du musst deine Autorität über sie ausüben, wenn du den Fall lösen sollst. Ich glaube an dich, aber du bist derjenige, der es in die Tat umsetzen muss", sagte sie. „Und ignoriere alle abfälligen Bemerkungen, die mein Bruder über dich macht. Er versteht nichts von Magie. Der Gedanke, dass ein Halbmagier höher stehen könnte als er, macht ihm Angst."

„Ich ... ich hätte nie gedacht, dass der Inspector vor so etwas Angst hätte", erwiderte er.

Sie lächelte. „Unsere Eltern waren sehr arm und er wollte für sich immer ein besseres Leben als sie gehabt hatten. Er ist ein vom Status besessener Mann, man kann ihn nicht ändern."

Sie kamen nach Einbruch der Dunkelheit wieder in der Stadt an. Die Hufe der Pferde klapperten auf dem Kopfsteinpflaster und Thordric zuckte bei jedem ihrer Schritte zusammen, da er Angst hatte, dass sie alle aufwecken würden. Lizzie bat den Fahrer, vor Thordrics Haus anzuhalten und er stieg aus und stellte sich auf die Schwelle. Sie gab ihm seinen Koffer und, zu seiner großen Überraschung, umarmte ihn fest.

„Viel Glück, Junge."

„Danke, Lizzie. Und auch danke für alles Andere. Wirklich", sagte er.

Sie erhob eine Hand zum Abschied und kletterte elegant in die Kutsche zurück, während sie an die Decke klopfte, dass der Kutscher weiterfahren sollte. Thordric winkte, bis sie die Straße weiter hinunter verschwunden waren und eilte dann nach drinnen, da ihm plötzlich die kalte Luft und die Eiszapfen bewusst wurden, die vom Eingang herabhingen.

Im Haus war es still. Seine Mutter war entweder aus oder schon zu Bett gegangen. Es war eigentlich auch egal, denn er wollte nur in sein Bett steigen und bis zum Morgen nicht mehr gestört werden.

. . .

Er wachte plötzlich auf. Es war immer noch dunkel und er dachte zuerst, dass er nur ein paar Minuten geschlafen hätte, aber dann hörte er den Morgenchor der Vögel und setzte sich auf, um auf die Uhr zu sehen. Es war 6 Uhr und er musste um 7:30 Uhr im Revier sein. Während er seine Müdigkeit wegblinzelte stand er auf, legte seine Uniform an und spritzte sich unangenehm kaltes Wasser ins Gesicht.

An der Tür klopfte es. Es war seine Mutter, sie war wie immer in ihren hochhackigen Schuhen zur Arbeit angezogen. Es war so viel passiert, dass es ihm vorkam, dass er sie seit Monaten nicht mehr gesehen hatte.

„Thordric! Ich kann dir gar nicht sagen, wie sehr ich dich vermisst habe“, sagte sie, während sie ihn noch fester umarmte als Lizzie. „Hast du viel gelernt? Genug, um den Fall zu lösen?“

Sie umarmte ihn wieder und gab ihm keine Zeit zu antworten. „Inspector Jimmson konnte überhaupt keine Fortschritte machen. Er hat einige der Magier befragt, aber alles, was er aus ihnen herausbekommen konnte war, wie sehr sie Hochmagier Kalljard respektierten.“

„Mach dir keine Sorgen, Mutter. Ich werde herausfinden können, wer es getan hat“, sagte er, während er wegen der Kraft ihres Griffs kaum in der Lage war zu atmen. „Bitte, lass mich gehen. Ich komme noch zu spät!“

Sie ließ ihn los. „Ja, natürlich. Ich wollte selbst gerade gehen. Wir können zusammen gehen.“

Sie verließen fünf Minuten später das Haus und schafften es noch pünktlich zum Revier. Da es so kalt war, hatten sie sich beide bis über die Ohren in Wolljacken gehüllt. Thordric seufzte und wünschte sich, dass sie so warm wären wie es sein Umhang gewesen war. Lizzie hatte ihn ihn mitnehmen lassen, aber es würde zu viel Aufsehen erregen, wenn er anfing, ihn zu tragen, und das konnte er momentan gar nicht gebrauchen.

Seine Mutter ging, sobald sie dort angekommen waren, zur Leichenhalle, wodurch er alleine zum Büro des Inspectors gehen musste. Die Constables starrten ihn an, als er eintrat, aber er sagte nichts. Er klopfte an die Tür des Inspectors und trat ein, als er die Erlaubnis erhielt.

„Sieh an, sieh an, du bist es also, Thornable", sagte der Inspector, während er seinen Schnurrbart zwirbelte. „Meine Schwester war eine gute Lehrerin?"

„„Ja, Inspector", erwiderte Thordric.

„„Gut, gut ... also, was machen wir jetzt? Wir sind immer noch da, wo wir letzte Woche auch waren - oh, das heißt außer das Begräbnis."

„„Begräbnis? Sie haben ihn schon beerdigt? Aber was ist, wenn wir die Leiche brauchen?"

„„Beruhige dich, Junge. Sie haben etwas Ähnliches begraben, nicht die richtige Leiche. Natürlich haben die Leute geglaubt, dass sie es sei, also ist diese Information streng vertraulich."

„„Und der Rat der Magier hat das wirklich erlaubt?", fragte Thordric.

„„Nein, das haben sie nicht. Unser Glück war, dass Kalljards Leiche in so einem Zustand war, dass keiner von ihnen vermutete, dass die Leiche, die wir zurückgegeben haben, eine Fälschung wäre." Der Inspector gluckste in sich hinein, während er vom Teller neben ihm einen Jaffa Cake nahm.

Thordric fand es schwer zu sprechen. Sie hatten die Leiche ausgetauscht, direkt unter der Nase des Rats?

„Inspector?", sagte er nach einem Augenblick. „Werden sie uns immer noch in Kalljards Gemächer lassen?"

„Das werden sie, wenn ich sie dazu veranlasse. Obwohl es vermutlich nichts Gutes bringen würde, denn Vey ist jetzt Hochmagier. Wurde gestern gewählt. Er ist vielleicht schon in den Raum umgezogen."

„Ich glaube, wir sollten trotzdem dorthin zurückgehen, Inspector. Ich bin mir sicher, dass es etwas gibt, das ich übersehen habe."

„Wenn du das sagst, Thodred. Du bist der mit den ... ähm ... Gaben." Er lächelte bösartig, als er das sagte, und Thordric erinnerte sich, was Lizzie gesagt hatte. Er verspürte plötzlich einen überwältigenden Anfall von Mitleid für den Inspector. Es musste auf seinem Gesicht gestanden haben, denn der Schnurrbart des Inspectors kräuselte sich und er wies ihn an, vor dem Revier zu warten, bis es an der Zeit war, dass sie zum Rat der Magier gingen.

Thordric wartete eine halbe Stunde lang in der bitteren Kälte. Der Schnee reichte ihm bis zu den Knöcheln und es hatte angefangen zu hageln. Der Inspector kam raus und sah ihn mit einem fröhlichen Gesichtsausdruck an und Thordric hätte ihn gern auf das Dach des Reviers schweben lassen.

Auf ihrem Weg zum Rat gingen sie in einem flotten Tempo und obwohl Thordrics Finger und Zehen taub wurden, fühlte sich der Rest von ihm ziemlich warm. Als sie ankamen, klopfte der Inspector, den Klingelzug ignorierend, clever mit seinem Stock an die gigantischen Tore. Einen Moment später schwangen sie auf und Magier Rarn stand da. Seine Überraschung war ihm nur allzu deutlich ins Gesicht geschrieben.

„I ... Inspector, wie schön, Sie zu sehen", log er. „Darf ich Sie nach Ihrem Begehr fragen?"

„Ich muss mich wieder in den Gemächern des Hochmagiers umsehen", erwiderte der Inspector schnell.

„Aber sicher, Inspector, Sie wissen, dass sie nun Hochmagier Vey gehören?", sagte Rarn fast zischend.

„Nichtsdestotrotz muss ich mich umsehen."

Rarn straffte sich mit kaltem Blick. „Sehr schön. Ich bringe Sie zum Hochmagier und er kann entscheiden, ob er es Ihnen erlaubt oder nicht."

Sie folgten ihm den langen Korridor entlang und Thordric bemerkte abwesend, dass die Feuer, die an den Mauern hingen, jetzt hellrot waren. Das gab dem Gebäude, trotz Rarns Kälte, eine wärmere Atmosphäre. Er bemerkte, dass sie Türen entlang des Korridors immer noch offen waren, aber niemand kam heraus, um zu sehen, wie sie vorbeigingen.

Statt sie direkt zum Raum des Hochmagiers zu bringen, hielt Rarn vor Veys altem Raum an. Er klopfte und die Tür schwang auf. Hochmagier Vey kam heraus, er sah furchtbar müde aus und überhaupt nicht wie ein Magier. Seine langen Haare fielen in Büscheln sein Gesicht hinunter und sein kurzer Bart stand in alle Richtungen ab. „Lass sie hinauf, Rarn", sagte er, ohne Rarn überhaupt sprechen zu lassen.

„Aber Eure Hochwürden ... "

„Tu es einfach, Rarn. Sie müssen eine Ermittlung beenden." Er wandte sich ihnen zu. „Es tut mir leid, dass ich so aussehe, Gentlemen. Ich war die ganze Nacht lang auf, um den Papierkram zu erledigen, dass ich die Bedingungen meines Amtes annehme. Sie lesen sich fast so anstrengend wie ein Wörterbuch." Thordric grinste. Es gab etwas an Vey, dass viel liebenswürdiger war, als bei den anderen Ratsmitgliedern.

Rarn verbeugte sich steif und brachte sie die Treppe hoch, die zu den Gemächern des Hochmagiers führte. Er ließ sie ein und verschwand dann wieder hinunter. Thordric schnaufte unabsichtlich. Der Raum war nicht viel verändert worden, und der Geruch von Magie, der von ihm ausging, war genauso stark wie beim letzten Mal, als sie da gewesen waren. Nur wusste er jetzt, was es war. Irgendwo im Raum gab es eine Illusion.

Er ging umher, versuchte zu spüren, woher sie kam und bemerkte die Pflanze auf dem Schreibtisch. Sie war schon zuvor dort gewesen, aber natürlich hatte Thordric sie damals nicht bemerkt. Es war *Reizender Sonnenstrahl.* Er grub in seinen Taschen und zog das Pflanzenbuch, das Lizzie ihm gegeben hatte, heraus und blätterte es durch. Schließlich fand er die Seite. Da. Er sah sich die Eigenschaften an und blinzelte. *Ruft Halluzinationen hervor, extremer Gebrauch kann tödlich sein.*

Er zeigte sie dem Inspector, dessen Augenbrauen und Schnurrbart gleichzeitig in die Höhe schossen. Also ist dieses Kraut dann gefährlich?", sagte er.

„Das würde ich sagen, Inspector."

„Warte einen Moment. Maggie – das heißt, deine Mutter – fand nur Trank in seinem Magen und der passte zu seinem geheimen Vorrat. Es gab nichts, das darauf hinwies, dass er das hier gegessen hatte."

„Hat sie die Zutaten herausgefunden, die benutzt wurden?", fragte Thordric.

Der Schnurrbart des Inspectors stellte sich auf. „Natürlich hat sie das! Sie würde nicht vergessen, so etwas Wichtiges zu tun, nicht meine Maggie!"

Thordric zog seine Augenbrauen hoch und der Inspector hielt schnell seine Hand vor den Mund. „Hat sie Ihnen gesagt, welche Zutaten?", drängte Throdric.

„Hm ... nun ja, ich glaube, sie sagte etwas über Kreide, Efeuwurzel und Schlehenblätter. Es gab da etwas, das sie nicht identifizieren konnte, aber sie sagte, es sei eine Art Mineral."

„Also, mal davon abgesehen, waren es alles Dinge, die er in der Stadt finden konnte?", grübelte Thordric. „Warum sollte er dann das hier behalten haben, frage ich mich?" Er zwirbelte einige der Blätter in seinen Fingern. Er musste herausfinden, wo sich diese Illusion befand. „Inspector, sehen Sie sich im Raum um und sehen Sie nach, ob Sie etwas Merkwürdiges finden können."

„Wonach suche ich?", sagte der Inspector, der sich angegriffen fühlte, da er gebeten wurde, etwas so Gewöhnliches zu tun.

„Ich bin mir nicht sicher", sagte Thordric, während er an seinem Kopf rieb und bemerkte, wie stark sein Haar gewachsen war. Ironischerweise bemerkte er, dass ihm auch einige Stoppel am Kinn gewachsen waren.

„Nun gut, das ist ja mal eine Hilfe, Junge", grummelte der Inspector. Er begab sich dennoch daran, es zu tun, während er gelegentlich zu Thordric späte, was er vorhatte.

Thordric sah wieder über den Rest des Schreibtischs hinweg, zog alles heraus und fühlte, um zu sehen, ob es wirklich das war, wonach es aussah. Er hatte gerade eine Schublade voller Dinge gefunden, die Fanpost zu sein schienen, als ihn der Inspector zu sich rief.

„Thornsby, komm her."

Thordric lief dorthin, wo der Inspector neben einem großen Kleiderschrank stand. Der Geruch der Magie, der aus ihm strömte, war so stark, dass er husten musste. „Dieses Ding sieht aus als sei es aus Holz", sagte der Inspector. „„Aber als ich es gerade berührte, *fühlte* es sich nicht wie Holz an."

„Sind Sie sicher?", fragte Thordric. Der Schnurrbart des Inspectors fing an zu zittern. *Offensichtlich* war der Inspector sicher. Thordric legte seine Hand auf den Kleiderschrank. Er fühlte sich wie glattes Glas an, überhaupt nicht wie sich Holz anfühlen sollte.

Die Illusion darauf war nicht sehr stark. Tatsächlich war sie nicht sonderlich vorsichtig erschaffen worden, sodass er sich fragte, wie sie so lange gehalten hatte. Durch einen leichten Schnitzer seiner Magie gab die Illusion alles frei. Sie fanden sich wieder, wie sie in einen langen, breiten Spiegel sahen.

Der Mund des Inspectors klappte auf und sein Schnurrbart hatte sich wieder zu seiner Nase hochgekräuselt. „W ... was ist gerade passiert, Thorndred?"

„Es war eine Illusion, Inspector", sagte Thordric, während

er leichter atmete. „„Alles, was ich getan habe, war sie anzuheben."

„Eine Illusion, sagst du? Warum würde jemand einen Spiegel verbergen wollen?"

Thordric legte die Stirn in Falten. Der Inspector hatte da etwas getroffen. „Das weiß ich nicht genau, Inspector." Er schniefte und seine Stirn legte sich noch mehr in Falten. Es gab im Raum noch etwas Verstecktes. Nun, da der Spiegel entdeckt worden war, konnte er spüren, dass es vom Schreibtisch kam. Während er wieder zurück ging, suchte er nach etwas - nach allem - was ihm vielleicht entgangen war. Es gab nichts.

Aber es musste von irgendwoher kommen.

Er starrte auf die verstreuten Papiere und war wie gelähmt. Er nahm eines der Blätter auf und sah es sich genau an. Es war einer der neuen Zaubersprüche, die Kalljard nicht unterschrieben hatte: nur dort war etwas falsch damit. Die ganze Schrift war leicht verschwommen, als sähe er durch eine Brille, die nicht seine war. Das war es.

Er versuchte zu spüren, wo die Illusion begann, aber sie war so leicht, dass er keinen guten Halt bekommen konnte. Er legte es nieder, atmete ein paar Mal tief ein, so wie Lizzie ihn angewiesen hatte, als er sich zu sehr aufgeregt hatte, und versuchte es wieder. Dieses Mal bekam er einen Halt, aber anders als beim Spiegel war das hier mit extremer Genauigkeit getan worden. Er zog daran, aber die hielt stand.

Er versuchte es wieder, aber wurde von einem Klopfen an der Tür unterbrochen.

Der Inspector kam herüber und öffnete. Hochmagier Vey stand da. „Es tut mir schrecklich leid, Inspector", sagte er. „Aber es scheint, als müsste ich all meine Habseligkeiten noch heute hierher bringen. Ich lasse alle Habseligkeiten des verstorbenen Hochmagiers Kalljard in den Lagerraum bringen, wo

Sie sie einsehen können, wann auch immer Sie das möchten, aber ich befürchte, ich kann Ihnen nicht mehr länger Zugang zu seinen Gemächern gewähren. Ich entschuldige mich in aller Form, ich verstehe, wie unangenehm das sein muss.“

Thordric steckte das Papier in seine Tasche.

VIERZEHN
ILLUSIONEN AUFHEBEN

Der Inspector und Thordric hatten keine andere Wahl als zu gehen, nachdem Vey ihnen gesagt hatte, was gerade geschah. Als sie den Raum verließen, sah Thordric, wie der Inspector ein paar Blätter *Reizender Sonnenstrahl* auf dem Schreibtisch abriss, und sobald sie aus dem Gebäude raus waren, gab er sie ihm.

„Thornsy, bring diese zu deiner Mutter und sieh, was sie uns über sie sagen kann."

Thordric tat wie geheißen und ging zur Leichenhalle hinunter. Seine Mutter sah gerade durch ein Mikroskop, als er eintrat, und als sie aufsah, sah Thordric, dass sie eine extrastarke, dicke Brille trug. Sie ließ ihre Augen riesig aussehen und er musste sein Grinsen unterdrücken.

„Was ist los, Thordric? Hast du etwas gefunden?", fragte sie, während sie aufstand und die Brille auszog. Ihr normalerweise ordentlich gemachtes und gestyltes Haar verfing sich in den Bändern und sie musste einen Augenblick mit ihm kämpfen, um es wieder frei zu bekommen.

Thordric hielt die Pflanzenblätter hoch und gab sie ihr.

„Die hier sind von einer Pflanze, die wir auf Kalljards Schreibtisch gefunden haben. Ich habe sie nicht erkannt, als wir das erste Mal dort waren, aber jetzt. Sie heißt *Reizender Sonnenstrahl* und sie kann ..."

„Sehr starke Halluzinationen hervorrufen? Ja, ich bin schon vorher mal über sie gestolpert. Einige der Menschen, bei denen ich eine Obduktion durchgeführt habe, nahmen sie."

„Wie wird sie eingenommen?", fragte Thordric.

„Normalerweise essen die Leute sie roh, aber auf diese Art ist es sehr gefährlich. Es ist leicht, zu viel davon zu essen, und als Ergebnis bist du dann so verwirrt, dass Selbstmord als einziger Ausweg erscheint."

Er verzog das Gesicht. Warum sollte jemand halluzinieren wollen? Er dachte an die Zeit zurück, als er jünger gewesen war und ein extrem schlimmes Fieber hatte. Er wurde immer wieder ohnmächtig und erwachte wieder und hatte so schlimm halluziniert, dass er nicht in der Lage gewesen war, zwischen Traum und Wirklichkeit zu unterscheiden. Nur der Gedanke daran verursachte ihm Kopfschmerzen. „Also", sagte er. „Ist es möglich, dass er das genommen haben könnte?"

„Es gibt nichts in seinem Mageninhalt, das darauf hinweist, wie du bereits weißt. Wenn es mit dem Trank, den er nahm, gemischt worden wäre, hätte ich es bemerkt."

„Also sagst du dann Nein?", drängte er.

„Ich sage, es ist unwahrscheinlich. Ich habe jedoch schon ein oder zwei Fälle gesehen, bei denen es in den Körper injiziert worden war." Sie nahm eine Schürze, während sie sprach, nahm ihre Untersuchungshandschuhe heraus und zog sie an. „Ich werde mir die Leiche noch einmal ansehen müssen und sehen, ob ich irgendwelche Einstichstellen finde, die ich bei der ersten Untersuchung nicht entdeckt habe."

Sie verschwand im Kühlraum, die Türen schwangen hinter ihr zu. Da er sich plötzlich neugierig fühlte, ging er zu ihrem

Schreibtisch, um zu sehen, woran sie gearbeitet hatte, als er hereingekommen war. Ihr Notizbuch war offen und der Stift lag auf der Seite, auf der sie gerade geschrieben hatte. Er sah sie an und kicherte. Es war ihm nie aufgefallen, dass sie eine so schlimme Handschrift hatte – zumindest wusste er jetzt, woher seine unlesbare Sauklaue kam. Als er immer noch herausfinden wollte, was da geschrieben stand, sah Thordric, wie sie wieder in den Raum zurück kam, während sie den Rollwagen mit Kalljards Leiche darauf schob.

„Nun, Thordric, wenn du ... was machst du da?", wollte sie wissen.

„Ich ... hm ... nichts."

„Komm hier rüber und hilf mir. Zieh ein Paar Handschuhe an", sagte sie, als sie auf die Packung voller Untersuchungshandschuhe neben ihm zeigte. Er öffnete sie und nahm ein Paar heraus. Sie waren aus einem dünnen, wachsartigen Material hergestellt, das an seiner Haut klebte und seine Finger schwitzen ließ. Er konnte nur versuchen, nicht wieder die Dinger direkt zu zerreißen.

Als er sich näherte, zog seine Mutter das weiße Laken, das die Leiche bedeckte, zurück. Sie sah genauso aus wie zuvor, die Haut war eingesunken und das Haar schütter.

„Er sieht genauso aus wie vor einer Woche!", sagte er.

„Ja, weil er eingefroren war. Nun, lass uns einen Blick hierhin werfen und sehen, was wir finden können."

Sie zog das Laken noch ein wenig mehr zurück und wies ihn an, sich eine Seite der Leiche anzusehen, während sie sich die andere ansah. Er war sich nicht sicher, was ihn mehr erschaudern ließ, das Gefühl der Handschuhe oder das Fühlen von Kalljards Haut. Was auch immer es war, sein Magen entschied sich, wild herum zu tanzen.

Sie brauchten fast eine halbe Stunde, um sich alles genau anzusehen, aber sie konnten nichts finden, das darauf hinwies, dass er eine Injektion bekommen haben könnte. Thordric zog die Handschuhe dankbar aus und setzte sich in einen Stuhl, da er sich recht schwach fühlte.

„Ich war sicher, dass es bei ihm benutzt worden wäre", beschwerte er sich.

„Vielleicht hatte er vor, es in einem neuen Trank zu verwenden? Als Hochmagier war er, da bin ich sicher, in die Herstellung der nützlicheren Tränke eingebunden, die dem Rat einfielen."

„Inwiefern kann ein Halluzinationstrank nützlich sein?", fragte er. Er fühlte sich fast so schwach, wie an dem Tag, an dem er am Haus Magie gelernt hatte, nur dass Lizzie nicht da war, um ihm Kuchen zu geben, um ihm beim Erholen zu helfen.

„Es ist für die Menschen, die *Reizender Sonnenstrahl* ganz nehmen nützlich – sie hätten dann eine viel einfachere Art, die Dosierung zu messen."

Thordric zuckte die Schultern und stand auf, seine Beine schwankten unter ihm. Er hatte das Zeichen über Kalljards Ohr angestarrt. Das war durch Magie dort platziert worden, aber sie hatten keine Ahnung, warum. Vielleicht ...?

Er beugte sich hinab, um danach zu sehen. Der Geruch war jetzt schwächer, aber eindeutig. Wenn er die Farbe entfernte, dann würden sie das, was sich darunter befand, sehen können.

„Thordric? Was hast du jetzt vor?", fragte seine Mutter, während sie ihn genau beobachtete.

„Nur ein wenig Magie", sagte er, während er sie angrinste. Dann legte er die Stirn in Falten. Wie *würde* er es entfernen? Mit Farbentferner? Es hat mit normaler Farbe funktioniert, also sollte eine magische Version auch mit magischer Farbe funktionieren ... oder nicht? Er versuchte es und der Kiefer seiner Mutter fiel herunter: es funktionierte.

Sie beugten sich näher herunter, um zu sehen, was offenbart worden war. Dort war eine kleine Einstichstelle zu sehen, ungefähr so breit wie eine Nadel. Er fühlte sich recht selbstzufrieden.

„Weißt du, Thordric, ich fange an zu glauben, dass Lizzie mit dir recht hatte. Du hast großes Talent." Sie lächelte ihn an, als sie sprach, aber er war gekränkt, dass sie überhaupt an ihm gezweifelt hatte. Er drehte sich weg, sodass sie nicht sehen sollte, wie sich seine Augen mit Tränen füllten.

„Was wirst du nun tun, jetzt, da wir es gefunden haben?", fragte er, während er die Schwere in seiner Stimme zurückdrängte.

„Ich muss eine Blutprobe nehmen und sie dann untersuchen, um zu sehen, ob es Spuren von *Reizender Sonnenstrahl* darin gibt. Es könnte ein Weilchen dauern, also solltest du wohl besser zurück zum Revier gehen." Sie kam näher, als sie gerade so das leichte Zittern an seinem Körper bemerkte. „Thordric? Geht es dir gut?"

„Ja", log er. „Es ist nur, dass mich tote Körper nach einer Weile unbehaglich fühlen lassen."

Zurück im Revier, nachdem er dem Inspector Bericht erstattet hatte, bat er um die Erlaubnis, selbst in einem der Büros arbeiten zu dürfen. Der Inspector, überraschend freundlich, sagte ihm, dass sie alle benutzt würden, sodass sich Thordric stattdessen auf dem Weg zu Lizzies Stadthaus wiederfand. Er hatte nicht erwartet, sie so bald wiederzusehen.

Der Schnee lag immer noch dick auf dem Boden und der Pfad, den er nehmen musste, war mit verstecktem Eis übersäht. Ein paar Mal dachte er daran, es einfach wegzublasen, aber es gab so viele Menschen in der Nähe, dass er wusste, dass es zu viel Aufmerksamkeit erregen würde. Stattdessen beschloss er, es nur leicht anzuwärmen, sodass es matschiger als Eis wurde.

Als er zu ihrem Garten kam, fand er sie draußen, während

sie versuchte, den Schnee vom Rasen zu entfernen. Die Schaufel, die sie benutzte, war groß und seltsam, und ihre Arme zitterten, als sie versuchte, sie anzuheben. Thordric schüttelte den Kopf. Während er gerade so außer Sicht blieb, ließ er den Schnee um sie herum schmelzen. Sie stand da und sah sich um, nicht wirklich sicher, was gerade passiert war. Da entschloss er sich, hervorzukommen und sie zu begrüßen.

Sie reagierte nicht gerade so, wie er es erwartet hatte, und er endete mit einem großen Klumpen Matsch an seiner Wange.

„Hast du deine Sinne verloren, Junge?“, sagte sie, während sie die Schaufel nach ihm schwang. Er trat ein paar unfreiwillige Schritte zurück.

„Ich dachte, du wärst beeindruckt“, sagte er.

„Beeindruckt? Natürlich bin ich beeindruckt. Davon beeindruckt, was für ein Dickkopf du bist. Komm rein, bevor jemand vorbeikommt und sieht, was du getan hast!“, erwiderte sie aufgebracht.

Er sagte nichts dagegen. Indem er ihr ins Innere folgte und die Wärme genoss, ging er in die Küche. Wie gewöhnlich kochte etwas Leckeres auf dem Herd und sein Magen knurrte laut. Sie beschwerte sich über ihn und brachte eine Schüssel und einen Teller heraus, sowie ein nasses Tuch, um sein Gesicht damit abzuwischen.

„Nun, da du schon mal hier bist, nehme ich an, dass du erwartest, gefüttert zu werden“, sagte sie und löffelte dicken Eintopf in seine Schüssel. Sie tat dasselbe bei sich und schnitt dann dicke Brotscheiben ab, damit sie sie eintauchen konnten. „So, das ist besser.“ Sie setzte sich ihm gegenüber, aß aber nichts.

„Danke“, sagte er, da er darauf hoffte, dass sie darauf wartete, dass er das sagen würde. Aber das war es nicht.

„Warum hast du geglaubt, dass es notwendig sei, Magie zu benutzen, um meinen Rasen frei zu machen, Junge?“

„Du sahst aus, als bräuchten Sie Hilfe. Niemand war in der Nähe, ich habe nachgesehen."

„Es ist immer jemand in der Nähe, Junge. Was sollen die Leute jetzt denken, wenn sie an meinem Haus vorbeigehen? Keine Schaufelei der Welt könnte all den Schnee so wegräumen wie du es getan hast."

„Vielleicht denken sie nur, es sei ein neuer Zauberspruch des Rates. Außerdem, warum macht das was?", fragte er, da er durch ihren plötzlichen Gemütswechsel irgendwie verwirrt war. „Du sagtest, dass die Menschen einfach akzeptieren müssten, dass ich mit Magie umgehen kann, egal ob sie es mögen oder nicht."

Sie seufzte und verschränkte die Finger. „Ja, Junge, das habe ich. Aber noch nicht jetzt. Der Rat ist immer noch stark. Er muss erschüttert werden, bevor du dich selbst offenbarst, ansonsten wird er dich niedertreten wie alle anderen auch. Sie lächelte dann und begann zu essen. „Nun sag mir", sagte sie. „Warum bist du hier?"

Er erzählte ihr von *Reizender Sonnenstrahl* und dem Spiegel in den Gemächern des Hochmagiers, und auch vom Fund der Einstichstelle an Kalljards Leiche. Dann zog er das Papier heraus, das er vom Schreibtisch genommen hatte. „Ich habe auch das hier gefunden", sagte er, während er seine Nase über den Geruch rümpfte, den es immer noch abgab. Er gab es ihr, froh, dass der Tisch nicht annähernd so lang wie der in Ihrem Haus war.

Sie las es kurz. „Aber das ist nur ein neuer Zauber, den er genehmigen musste. Was beweist das?"

„Das ist kein Zauberspruch. Sie ihn dir genau an", sagte er.

Das tat sie. „Ich kann nichts Anderes darauf erkennen."

„Sind die Wörter für dich nicht verschwommen?", fragte er finster.

„Nein. Sollten sie das?"

„Ja. Das ist eine Illusion. Und auch eine starke. Ich konnte sie nicht aufheben, während ich dort war, also habe ich sie mitgenommen. Ich wollte auf dem Revier einen leeren Raum finden, um zu versuchen sie aufzuheben, aber es war keiner frei. Stattdessen sagte mir der Inspector, ich solle hierher kommen."

„Ich verstehe", sagte sie, indem sie ihre Mahlzeit beendete. „Nun gut, Junge, du kannst solange hier bleiben wie es dauert." Sie verließ den Raum und überließ ihn seiner Arbeit.

Er schob seine Schüssel beiseite und sah sich das Papier an. Die Unschärfe war jetzt sogar noch deutlicher als zuvor. Wenn Lizzie nicht in der Lage gewesen war, sie zu sehen, dann musste sie für Menschen ohne Magie unerkennbar sein.

Er fühlte wieder nach den Rändern der Illusion. Es war diesmal etwas einfacher und er zog kräftig daran. Sie rührte sich nicht. Er versuchte es wieder, indem er fest, aber langsam zog. Schweiß bildete sich auf seiner Stirn und seine Hände zitterten, aber er hatte kein Glück.

Er atmete tief ein, stand auf und ging im Raum umher, bevor er sich umdrehte und schnell daran zog, als ob er sie überraschen wollte. Er versuchte es mehrmals, jeder Zug war stärker als der vorherige, aber die Illusion blieb bestehen.

Während er laut fluchte ließ er das Papier schweben und schleuderte es gegen die Wand. Er zog es mit seinen Händen von oben nach unten ab.

Die Wörter waren jetzt so verschwommen, dass er sie nicht erkennen konnte, aber etwas zeigte sich darunter.

In einem plötzlichen Moment der Klarheit erkannte er, dass er von links nach rechts daran gezogen hatte, es aber wohl von oben nach unten hätte tun müssen. Er versuchte es, und obwohl er Widerstand spürte, war er jetzt viel schwächer. Durch ein paar weitere Züge hob sich die Illusion auf.

Er starrte das Papier an und staunte mit offenem Mund.

„Lizzie!“, schrie er. „Lizzie, komm schnell!“

Sie rannte in den Raum und stolperte fast über ihre Röcke. „Was ist los, Junge? Bist du verletzt?“

Er antwortete nicht, sondern gab ihr das Blatt. Sie las es und ihre Hand schoss zu ihrem Mund empor. „Ich glaube, mein Bruder muss das hier sehen“, brachte sie schwach hervor. Er schnitt ein grimmiges Gesicht, da ihm die Worte fehlten.

Sie kamen außer Atem am Revier an und Thordric musste Lizzie sich auf ihn stützen lassen, als sie reingingen. Er hatte vergessen, dass sie fast zwanzig Jahre älter als ihre Mutter war.

„Oi, oi, worum geht es, du kleiner Wicht?“, fragte ihn der Constable am Empfang und beäugte Lizzie, die dadurch, dass ihr Haar ihre Schultern herunter gefallen und ihre Röcke ganz zerfleddert waren, nicht zu erkennen war. „Bringst du deine liebe Großmutter mit aufs Revier?“

Sie nahm diese Bemerkung nicht gut auf. Indem sie sich zu voller Größe aufrichtete und ihr Haar zurückkämmte, warf sie ihm solch einen Blick zu, dass sich seine Augen mit Tränen füllten. „Bringen Sie mich sofort zu meinem Bruder, Constable, oder ich lasse Sie sonst für immer suspendieren.“

„Ich, äh, ich bitte um Entschuldigung, Ma'am, ich habe sie nicht erkannt ... ich bringe Sie direkt zu ihm!“

Lizzie drängte ohne zu klopfen in das Büro des Inspectors und Thordric und der Inspector traten nach ihr ein. Der Inspector erhob seine Augenbrauen und sein Schnurrbart kräuselte sich wegen der unhöflichen Störung. Der Constable murmelte etwas Unverständliches und rannte aus dem Raum.

Der Inspector wandte sich an Lizzie, aber bevor er sprechen konnte, warf sie ihm das Papier zu.

„Sieh dir das an!“, sagte sie mit kochender Stimme. „Sieh dir an, was dein teurer Rat der Magier geplant hat!“

FÜNFZEHN
DIE BEFRAGUNGEN BEGINNEN

Der Inspector las, was auf dem Papier stand. Als er geendet hatte, war ihm die Hälfte seines Schnurrbarts ausgefallen und sein Gesicht war kreidebleich. „Ich ... ich hatte keine Ahnung", sagte er mit offenstehendem Mund. „Überhaupt keine Ahnung. W ... woher stammt das?"

„Es war in den Gemächern des Hochmagiers", sagte Thordric. „Es war durch Magie versteckt."

„Nun gut", sagte der Inspector, leicht zitternd. „Thordric, versammle die Constables und sag ihnen, ich will sie sehen: jetzt, Junge!"

Thordric verließ das Büro und rief nach allen Constables an ihren Schreibtischen, während er ihren Spott ignorierte. Sie versammelten sich schnell, als sie herausfanden, dass es sich um die Befehle des Inspectors handelte. Sie versammelten sich gerade rechtzeitig vor der Bürotür, als der Inspector und Lizzie herauskamen.

„Constables, ich möchte, dass der ganze Rat der Magier sofort verhaftet und hergebracht wird!", bellte der Inspector.

Sie sahen alle verwirrt aus und ein mutiger Mann rief sogar etwas.

„Aber Inspector, das sind fast eintausend Magier!"

„Ja, Constable, haben Sie ein Problem damit?"

„N ... nein, Inspector. Es ist nur, dass in unseren Gefängniszellen nicht für so viele Menschen Platz ist."

Der Inspector stutzte, seine Stirn legte sich so sehr in Falten, dass sie wie ein Miniaturtal aussah. „Nun, dann verhaften Sie nur die obersten Magier - und Magier Rarn!"

„Die Constables zögerten.

„Wenden Sie alle nötigen Mittel an, aber verhaften Sie sie dennoch. Und jetzt BEWEGUNG!", brüllte der Inspector.

Sie eilten hinaus, da sie sich nicht trauten, die Geduld des Inspectors auch nur einen Moment länger auf die Probe zu stellen. Der Inspector legte seine Hand an seine Stirn und befahl Thordric, Tee und Jaffa Cakes zu bringen. Er gehorchte, da er froh war, dass ihn der Inspector wieder bei seinem richtigen Namen rief.

Als er mit dem Tablett ins Büro ging, warteten der Inspector und Lizzie erwartungsvoll auf ihn. Er goss ihnen Tee ein und nahm das Angebot des Inspectors an, sich selbst einen einzugießen. „Denkst du, du kannst mit Befragungen umgehen, Junge?", fragte ihn der Inspector, als er sich setzte.

„Befragungen, Inspector?", sagte Thordric, als er sich seinen Mund am Tee verbrannte.

„Ja, Junge ... Befragungen. Auch wenn nur die obersten Magier hier sind, werden wir doch mit dreißig Männern reden müssen. Ich will herausfinden, wie weit *das*", sagte er, während er das Blatt Papier wie wild schwenkte, „die Ränge hinunter gegangen ist, und ich brauche deine Hilfe." Er lehnte sich in seinem Stuhl zurück und fühlte sich plötzlich müde. „Du hattest immer recht, Lizzie ... und Patrick auch. Es tut mir so unglaublich leid, dass ich ihm nie geglaubt habe, oder dir."

. . .

Die Constables kamen innerhalb einer Stunde wieder nach und nach zum Revier und brachten Magier aller Größen und Altersgruppen mit, die wegen der schrecklichen Ungerechtigkeit dieser Behandlung riefen und schrien. Magier Rarn war zusammen mit Hochmagier Vey einer der letzten, der gebracht wurde. Vey kam so ruhig hinein, als wolle er sich beim örtlichen Frisör die Haare schneiden lassen. Magier Rarn war nicht annähernd so ruhig, besonders nicht, als er sah, dass Thordric Notizen machte, während er von der Seite aus zusah. „Du!", schrie er. „Wie kannst du es *wagen*, uns zu verhaften? Wie kannst du es *wagen*, seine Hochwürden zu verhaften?"

„Ruhe, Rarn. Ich bezweifle, dass der gute Inspector und der junge Thordric hier das getan hätten, wenn es keinen guten Grund dafür gäbe", sagte Vey. Er bedeutete Thordric weiterzumachen und die Constables ihn in die Zellen bringen zu lassen.

Die Bürotür öffnete sich hinter Thordric und der Inspector kam mit Lizzie heraus. „Junge, ich muss jetzt gehen", sagte sie. „Bitte hilf meinem Bruder so viel du kannst."

„Ich werde mein Bestes tun", sagte Thordric, indem er sich von ihr abwandte und er und der Inspector gingen zu den Zellen hinunter. Die Constables, die alle verfügbaren Magier hergebracht hatten, saßen auf den Stufen und ruhten sich aus. Alle atmeten schwer und bei mehr als ein paar von ihnen wuchsen leuchtende neue Haarfarben und verzerrte Gesichtszüge. Der Inspector hob eine Augenbraue, sagte aber nichts, außer, dass sie sich alle Tee und Jaffa Cakes nehmen sollten.

Hochmagier Vey hatte auf Bitte der anderen Magier eine Zelle ganz für sich alleine bekommen. Er saß auf der Bank, seine Augen waren geschlossen und er winkte gelegentlich mit einer Hand, wenn einer von ihnen etwas Gemeines tun oder sagen wollte.

Thordric bemerkte mit einem Grinsen, dass Veys simple Handgeste auch zur Freude aller Magier Rarn in einen tiefen Schlaf geschickt hatte, um sein unaufhörliches Schreien zu beenden.

Der Inspector stand vor den Zellen und starrte sie alle kühl an. Sein Temperament hatte sich wieder abgekühlt und er konnte die Situation mit professionellem Blick einschätzen. „Magier des Rates, Sie sind hier, weil ich Beweise für eine sehr widerliche Verschwörung gefunden habe. Eine Verschwörung, die vom verstorbenen Hochmagier Kalljard selbst ins Leben gerufen wurde."

Die Magier starrten ihn an und Vey öffnete eines seiner Augen.

„Mein Assistent und ich werden Sie alle befragen, um einfach zu sehen, wie tief diese Verschwörung reichte, und falls notwendig, die benötigte Disziplin schaffen", fuhr der Inspector fort. Er wandte sich an Thordric. „Du nimmst die jungen, ich die älteren."

„Was ist mit Vey?", flüsterte Thordric.

„Ich denke, wir sollten ihn beide befragen", erwiderte er. Er rief die beiden Constables, die immer noch anwesend waren, zu sich und bat sie, einen der jüngeren Magier mit Thordric zusammen zum kleineren Befragungsraum zu eskortieren, während er einen der älteren Magier selbst in den größeren Raum brachte.

Der Magier, den Thordric zuerst befragen musste, war zufälligerweise der, der ihnen Essen serviert hatte, als sie mit Vey gegessen hatten. Er war ein nervöser junger Mann und Thordric hätte niemals vermutet, dass er ein hochrangiger Magier wäre. Er sah kaum älter als Thordric selbst aus, obwohl er vermutete, dass er das sein musste, wenn Lizzie damit recht hatte, wie lange ihre Ausbildung dauerte.

„Sie sind ... Sie sind doch der, der mit seinen Hochwürden

zu Abend gegessen hat, bevor er gewählt wurde, oder?", fragte er Thordric, als sie sich gesetzt hatten.

„Ja, das bin ich", erwiderte Thordric und wollte mehr sagen, aber dann kam ihm plötzlich ein, dass er nicht den blassesten Schimmer hatte, wo er anfangen sollte.

„Wie lange sind Sie schon Teil des Rats?", fragte er nach einer langen Stille.

Der Magier fummelte an den Ärmeln seines Gewands herum. „Etwas mehr als sechs Monate, Sir, direkt nach Beendigung meiner Ausbildung", erwiderte er.

Thordric war überrascht. „Und wie sind Sie nach nur sechs Monaten in den oberen Rang aufgestiegen?", fragte er.

„Ich wurde erst vor ein paar Tagen befördert, Sir, auf Anweisung seiner Hochwürden. Er hatte mich die Bäume im Garten mit einem Wachstumszauber belegen sehen. Ich sollte sie nicht ohne Erlaubnis anfassen, also dachte ich, er würde mich bestrafen, aber das tat er nicht. Er machte mich stattdessen zum Hüter des Gartens, ein Titel, der normalerweise nur oberen Magiern verliehen wird. Einige meiner Kollegen beschwerten sich darüber, also beförderte er mich, damit ihr Gejammer aufhörte."

„Ich verstehe", sagte Thordric. Er marterte sein Gehirn nach einer weiteren Frage, da er nicht direkt eine über die Verschwörung stellen wollte. „Hm, wie gut kannten Sie Hochmagier Kalljard?"

„Ich kannte ihn nicht, Sir. Ich habe ihn nur einmal gesehen, als er mich als Teil des Rates aufnahm. Aber er achtete nicht sehr auf mich, denn es gab fünf von uns, die am selben Tag eingeführt wurden."

Thordric seufzte. Das führte zu nichts.

„Waren Sie sich bewusst, dass Hochmagier Kalljard plante, alle Halbmagier im Land zu töten?",sagte er kalt.

„Er ... *was*? Nein, Sir, dass kann nicht wahr sein. Der

verstorbene Hochmagier verachtete Halbmagier, aber er hätte sie nie töten wollen. Warum sollte er? Sie können keinen Schaden anrichten."

„Vielleicht spürte er, dass ihre Magie genauso stark ist wie eure", sagte Thordric, während er den Magier genau beobachtete.

„Was meinen Sie? Halbmagier können ihre Magie nicht benutzen, es geht immer schief."

„So sagt man." Thordric stand auf. Dieser junge Magier hatte nichts gewusst. Er hatte keine Schuld auf sich geladen, außer vielleicht, dass er einen furchtbaren Sinn für Stil hatte, wenn man seine merkwürdige Wahl von Gewändern in Hellrosa und Braun bedachte. Thordric bat die Constables, ihn zu den Zellen zurück zu bringen und den nächsten zu holen.

Ein paar Minuten später kamen die Constables mit einem Magier zurück, der so groß war, dass sein Kopf die Decke berührte. Unter seinem Gewand spannte sich eine große Muskelmasse, was merkwürdig mit seinem zotteligen schwarzen Bart und ebensolchem Haar kontrastierte. Sein Gesichtsausdruck war nicht angenehm. Sie setzten ihn vor Thordric, der sich räusperte, während er die intensive Verachtung, die über den Tisch zu ihm strömte, zu ignorieren versuchte.

Nervös sah er zu den Constables, aber sie standen ein gutes Stück entfernt, ungefähr so nützlich wie ein Paar alter Stiefel. Während er sich aufrecht hinsetzte, begann er, Fragen zu stellen. Er fing auf die gleiche Art und Weise an und fragte, wie lange der Magier schon Teil des Rates war. Keine Antwort. Er fragte nochmal, aber immer noch keine Antwort. Er fuhr fort, bekam aber nicht viel mehr als ein Blinzeln aus dem Magier heraus.

Die Zeit verging und Thordric wusste, dass er ihn zum

Reden bringen musste. Er beschloss, die Atmosphäre zu ändern. „Was halten Sie von Halbmagiern?", fragte er.

Der muskelbepackte Magier lachte mit einem tiefen, rumpelnden Geräusch, das sich eher nach Donner anhörte. „Halbmagier sind nichts anderes als eine Schande der Gattung der Magier. Eine stümperhafte Ansammlung von Narren, die denken, dass sie ebenfalls mit Magie umgehen können, einfach nur weil ihre Väter Magier waren. Kaum einen Augenblick darüber nachzudenken wert."

Thordric formte unter dem Tisch eine Faust und versuchte, seine Wut nicht zu zeigen. „Also", sagte er, während er seine Stimme im Zaum hielt. „Falls es einen Plan gab, das Land von ihnen zu säubern, würden Sie ihn gutheißen?"

„Natürlich würde ich das. Sie verdienen es, irgendwo eingesperrt zu werden, wo man sie nicht sieht", sagte der Magier, indem er seine Arme verschränkte. Sein Bizeps trat hervor, was seine Ärmel sich so sehr verengen ließ, dass sie fast rissen.

„Einsperren? Ist das alles? Würden Sie sie nicht tot sehen wollen?", drängte Thordric und hob eine Augenbraue an.

„Tot?", sagte der Magier erstaunt. „Niemals! Ich gebe ja zu, dass ich sie nicht mag und sie bestimmt keinen Respekt verdienen, aber ich würde sie nicht tot sehen wollen! Welche Art von Mensch würde ihnen das wünschen?"

„*Ihr* verstorbener Hochmagier, zum Beispiel."

„Seine Hochwürden Kalljard? Wie kannst du es wagen, das ist absurd!", sagte der Magier laut und halb stehend.

„Setzen Sie sich, Sir. Wir sind hier noch nicht fertig." Thordric verschluckte sich an der plötzlichen Autorität in seiner Stimme. Er schien seinen Spaß zu haben. Der Magier ließ sich fallen, was den Stuhl unter ihm ächzen ließ.

„Hast du irgendeinen Beweis für diese Verschwörung?",

wollte der Magier wissen, während seine Muskeln drohend hervortraten. Thordric ignorierte das. Er kramte wieder in seinen Taschen herum und holte eine Kopie des Papiers heraus, die ihm der Inspector anzufertigen aufgetragen hatte. Er schob es über den Tisch hinweg dem Magier zu.

„Woher hast du das?“, wollte er wissen, während sich seine Augen weiteten und seine Muskeln einsackten.

„Aus den Gemächern des Hochmagiers, bevor Hochmagier Vey seine Habseligkeiten dorthin brachte. Es lag auf dem Schreibtisch. Das ist doch die Handschrift des verstorbenen Hochmagiers Kalljard, oder nicht?“, fragte Thordric und bemerkte, dass das bisher nicht wirklich bestätigt worden war.

„Das ist sie ... ich habe für ihn immer Mitteilungen zwischen den Abteilungen hin und her getragen. Er hat sie nie versiegelt ...“

„Und legte eine davon nahe, was für ein übler Magier er war?“, sagte Thordric.

„Nein, junger Sir“, sagte der Magier und ließ all seine verbliebene Aggressivität fallen. „Es gab nichts, was dies nahelegte ... diese *Verdorbenheit* des Geistes.“ Thordric bedeutete den Constables, ihn wegzubringen, aber der Magier blieb auf seinem Stuhl sitzen. „Falls jemand davon wusste ... ich nehme an, dass das ein ausreichend großer Anreiz gewesen wäre, ihn zu töten, oder nicht?“

„Ich weiß nicht, aber es würde sicherlich niemandes Sache helfen“, sagte Thordric langsam. Der Magier seufzte tief und stand auf. Er streckte seine Arme aus, damit die Constables ihn wegführen konnten. Thordric stand auf und dehnte sich, er zuckte zusammen, als wieder Gefühl in seinen Hintern zurückkam. Es klopfte an der Tür, er öffnete sie und fand den Inspector vor.

„Setze die Befragungen einen Moment lang aus, Junge. Deine Mutter ist mit interessanten Neuigkeiten da.“

Er folgte dem Inspector zurück zu seinem Büro, wo seine Mutter schon wartete. Sie hatte seit dem letzten Mal, als er sie gesehen hatte, ihr Haar gelegt und sie hatte auch ein wenig Parfüm aufgelegt, was vom Rosenblütenduft um sie herum verraten wurde. „Ah, da bist du ja, Thordric", sagte sie, als er eintrat. „Ich bin gerade mit der Analyse von Kalljards Blut fertig geworden. Wie es scheint, war unsere Theorie korrekt."

„Ihm wurde *Reizender Sonnenstrahl* injiziert?"

„Ja", sagte sie, während sie sich straffte. Der Inspector setzte sich mit einem frischen Kännchen Tee und goss ihr eine Tasse ein. Sie schenkte ihm ein Lächeln, das Thordric denken ließ, er müsse sich vielleicht übergeben.

„Aber da gibt es noch etwas. Die Menge in seinem Blut hätte nicht ausgereicht, um ihn verrückt genug zu machen, sich selbst zu töten. Nur, um ihn Dinge sehen zu lassen, die etwas abseits des Normalen wären."

„Also wissen wir immer noch nicht, was ihn wirklich getötet hat?", sagte der Inspector, als er sich einen Jaffa Cake nahm.

„Nein, es gibt nichts Schlüssiges", sagte sie.

„Was ist mit dem Spiegel, den wir gefunden haben?", sagte Thordric, der beschloss, etwas anzugeben und sich mit Magie einen Tee einzugießen. Der Inspector schluckte seinen Jaffa Cake ganz.

„Was meinst du, Junge?", sagte er, während er so sehr hustete, dass sich seine Augen mit Tränen füllten.

„Wenn man sich Dinge vorstellt und in einen Spiegel sehen würde, wäre es möglich, sich mit jemand anderem zu verwechseln?", sagte Thordric.

Der Inspector sah ihn an, als würde er ihn zum ersten Mal richtig sehen. „Weißt du, Junge, das ist eine sehr gute Theorie! Wäre das möglich, Maggie?"

„Sehr gut möglich. Aber ich verstehe nicht, warum ihn das sich selbst angreifen lassen würde."

Thordric sah von ihr zum Inspector. Der Inspector rutschte unbehaglich auf seinem Stuhl hin und her. „Haben Sie es ihr noch nicht erzählt, Inspector?"

SECHZEHN
EINE ÜBERZEUGENDE TARNUNG

„Nun gut", sagte seine Mutter schluckend. „Wenn man diese Umstände bedenkt, wäre er wahrscheinlich sehr paranoid gewesen. Ihm *Reizender Sonnenstrahl* zu geben hätte das noch schlimmer gemacht."

Sie zitterte und sah Thordric an, als könnte sie nicht ertragen, ihn zu verlieren. Er spürte, wie sein Gesicht heiß wurde. Wenn diese Theorie wahr wäre, dann war es kein Fall von klarem Mord. Jemand hatte alles so eingerichtet, dass Kalljard sich selbst töten würde. Jetzt, da er die Wahrheit kannte, konnte er mit demjenigen, der auch immer es getan hatte, nur sympathisieren.

Hochmagier Kalljard, Oberster des Rats der Magier, war neben der königlichen Familie die wichtigste Person im ganzen Land. Fast alle hatten ihn respektiert und verehrt, da sie nicht wussten, was für ein Monster er wirklich war. Jetzt würden sie *alle* die Wahrheit erfahren.

Thordric hatte jetzt keinen Zweifel mehr, dass Kalljard derjenige gewesen war, der Lizzies Mann getötet hatte, wenn nicht persönlich, dann doch durch Anstiftung eines anderen.

Wer wusste schon, wie viele andere Halbmagier er bereits aus dem Weg geräumt hatte, bevor er die offiziellen Pläne, die sie gefunden hatten, ausgeheckt hatte?

Er stand aus seinem Stuhl auf, bereit, um mit den Befragungen fortzufahren, aber dann wandte er sich an seine Mutter, da ihm ein plötzlicher Einfall kam. „Gibt es einen Weg zu beweisen, dass er sich selbst getötet hat?"

Der Inspector und Thordrics Mutter sahen sich an und schüttelten dann langsam ihre Köpfe. „Das ist die Welt der Magie, Junge", sagte der Inspector. „Wenn du keinen Weg finden kannst, es durch Magie zu beweisen, dann können wir es nicht sicher wissen. Außer wenn jemand gesteht, natürlich."

„Lizzie hat mich keine Sprüche gelehrt, wie man Menschen töten kann, also kann ich auch nicht sagen ... wartet einen Moment!" Sein Mund verwandelte sich in ein Grinsen, als er bemerkte, welche Idee die ganze Zeit in seinem Kopf herumgeschwirrt war. „Inspector, ich habe bisher zwei Magier befragt und ich glaube, dass beide bezüglich Kalljards Tod und seiner Verschwörung unschuldig sind. Warum lassen wir nicht *sie* die Leiche untersuchen und sehen, ob sie uns sagen können, was passiert ist?"

Der Inspector stand ebenfalls auf, auf Augenhöhe mit Thordric. „Ich muss sagen, dass ich deinen Plan unterstützen würde ... wenn es da nicht das kleine Detail gäbe, dass der komplette Rat der Magier glaubt, wir hätten ihn vor ein paar Tagen beerdigt."

Thordric sank wieder zusammen. „Dann werden wir niemals wissen, was passiert ist."

Jetzt war es an seiner Mutter zu spekulieren. Sie strich ihr Haar zurück und sah beide an. „Was ist, wenn die Leiche getarnt ist?", sagte sie. „Wir könnten sagen, es sein ein anderer Halbmagier, der versucht hatte zu experimentieren."

„Sie werden erkennen, ob ich Magie benutze, um sie zu

tarnen. Das verströmt einen zu starken Geruch", beschwerte sich Thordric.

„Man muss nicht alles mit Magie machen, Thordric. Inspector, schicken Sie einen Constable, um ihre Schwester zu holen, ich könnte ihre Hilfe dabei gebrauchen", sagte sie. Sie stand auf und wirbelte aus der Tür, sie hatte kaum ein flüchtiges Auf Wiedersehen für sie übrig.

Thordric und der Inspector saßen einen Augenblick lang stumm zusammen.

„Sie werden auch eine normale Tarnung durchschauen, wenn es so aussieht wie ihre Karnevalskostüme", murmelte Thordric.

Der Inspector hörte ihn und mit einer geschmeidigen Bewegung schlug er ihn mit einem der Bücher, die auf dem Schreibtisch gelegen hatten, an die Seite seines Kopfes. „Hab ein bisschen Vertrauen zu deiner Mutter, sie ist sehr geschickt." Thordric erhob dabei eine Augenbraue, aber der Inspector ignorierte es und rief einen Constable herein, der Lizzie abholen sollte. Dann gingen er und Thordric wieder zum Befragungsraum zurück, um sich mit den nächsten paar Magiern zu beschäftigen.

Drei oder vier Magier später, die alle nichts gewusst hatten, klopfte es wieder an die Tür des Befragungsraums. Es war ein Constable mit einer Nachricht von Thordrics Mutter.

„Die Pathologin wünscht, dass du weißt, dass alles bereit ist, kleiner Wicht", sagte der Constable.

Thordric ignorierte den Scherz. „Sagen Sie ihr, dass ich jeden Moment komme", erwiderte er. Er wandte sich wieder an den aktuellen Magier, den er gerade befragte, und erzählte ihm ruhig von Kalljards Verschwörung. Er war auf die übliche schockierte Reaktion vorbereitet. Er wurde nicht enttäuscht.

Als er fertig war, ging er wieder zu den Zellen zurück und fragte nach den beiden Magiern, die er zuerst befragt hatte – den jungen Gärtner und den bärtigen Muskulösen. Sie waren nach oben geschickt worden, um in einem der Büros zu warten, sodass sie den anderen nichts über Kalljards Verschwörung sagen konnten.

Als er dort ankam, war das winzige Büro mit Magiern vollgepackt, denn diejenigen des Inspectors waren ebenfalls dorthin geschickt worden. Er zwängte sich hinein und es gelang ihm, sich auf einen Stuhl zu stellen, sodass er all ihre Gesichter sehen konnte. Diejenigen, die er wollte, waren hinten, an verschiedenen Seiten des Raums. Er rief nach ihnen, um mit ihm zu kommen, und er fühlte sich schrecklich unhöflich, da er ihre Namen nicht kannte.

Sie kamen ohne großen Wirbel, da sie durch die Offenbarung, dass Kalljard wirklich monströs gewesen war, ruhig gestellt worden waren. Sie gingen still den ganzen Weg zur Leichenhalle neben Thordric her. Als sie ankamen, fanden sie Lizzie und seine Mutter beide in weißen Schürzen und medizinischen Handschuhen vor, die um die Leiche auf dem Tisch herum standen. Thordric versuchte, seine Überraschung darüber, wie anders sie doch aussah, nicht zu zeigen.

Kalljards Bart und Haar waren geschnitten und dunkelrot gefärbt worden, und sie hatten verschiedene Tätowierungen an seinen Armen und seiner Brust angebracht. Irgendwie hatten sie es sogar geschafft, sie so aussehen zu lassen, als wären sie schon seit Jahren dort gewesen. Sogar Thordric fand es schwierig, ihn zu erkennen. Die Haut war jedoch immer noch eingesunken und lederartig, was sie die Magier sehen lassen wollten. Es war sicher gewesen, diese beiden herzubringen, da er wusste, dass sie die Leiche überhaupt nicht gesehen hatten und daher ihren Zustand nicht erkennen würden.

„Guten Abend, Gentlemen“, sagte seine Mutter. „Ich habe

um Ihre Anwesenheit gebeten, um bei bei der Obduktion dieses armen Kollegen zu helfen."

Die beiden Magier sahen sich an. „Wir-wir wären f-froh, helfen zu können", sagte der Jüngere.

Thordrics Mutter lächelte. „Hervorragend. Nun, wie Sie sehen können, erlitt dieser arme Mann eine Art extremer Dehydration und Verwesung." Sie hielt inne und zeigte den Zustand der Haut. „Wir wissen, dass er ein Halbmagier war und haben daher angenommen, dass er versucht hat, seine eigene Magie zu benutzen, und das ging, wie immer, nach hinten los. Aber ich muss darüber sicher sein, sodass ich es in meinem Bericht bestätigen kann. Ich brauche Sie, Gentlemen, um mir dabei zu helfen, herauszufinden, was der wirkliche Grund war."

„Ich-ich verstehe", sagte der junge Magier. Er sah sich die Leiche genau an. „Ich-ich würde sagen, dass Ihre Th-Theorie k-korrekt war, Madam. Würdest du zustimmen, Magier Myak?", sagte er, indem er sich an den großen Magier wandte. Der große Magier lehnte sich ebenfalls vor und streckte einen Finger aus, um die Leiche mehrmals anzutippen.

„Das tue ich, Magier Batsu", sagte er schroff. „Obwohl das wirklich starke Magie ist. Sind Sie sicher, dass er nur ein Halbmagier war?"

„Das wurde mir gesagt, Sir", sagte Thordrics Mutter ohne einen Hauch von Sorge.

„Dann könnte er ein Wanderer gewesen sein. Das wäre eine logischere Erklärung, da ich nicht glaube, dass die Magie eines einfachen Halbmagiers so einen Schaden anrichten könnte. Nein, dieser Mann war ein Wanderer."

„Wie können Sie das beurteilen, Sir?", sagte Lizzie, indem sie sich einschaltete. Sie sah Magier Myak in die Augen und wollte eine Antwort.

„Wanderer sind Abtrünnige des Ausbildungszentrums des

Rats der Magier", erwiderte er und starrte sie mit ebensolcher Intensität an. „Daher sind sie sehr gut ausgebildete Magier, die alles tun können, was auch die Mitglieder des Rats der Magier können. Wenn ich richtig liege, dann benötigte der Spruch dieses Mannes eine hohe Ausbildungsstufe und ist bekanntermaßen schwer zu kontrollieren. Nur Magier der oberen Stufen wie ich können solche Zaubersprüche kontrollieren, obwohl wir sie nie benutzen. Sie sind nur zu Verteidigungszwecken."

„Dann könnte man danach genauso gut sagen, dass ein Mitglied des Rats wie Sie ihn in einer Verteidigungssituation gebraucht haben könnte?", forderte Thordric ihn heraus.

Magier Myak spannte seine Muskeln an, aber Magier Batsu schaltete sich ein, bevor er etwas tun konnte.

„Ah, nein, nicht wirklich. E-es gibt eine Regel, dass alle Magier, die Verteidgungssprüche der höheren Stufen benutzen, sie melden und vor den Hochmagier treten müssen, um den Grund ihres Gebrauchs zu nennen. Niemand musste das in den letzten fünfzig Jahren und lange davor tun. Prüfen Sie unsere Aufzeichnungen, wenn du möchtest."

„Und was ist, wenn jemand es einfach nicht gemeldet hat?", drängte Thordric.

„Wir-wir sind durch einen Sch-Schwur gebunden ...", hob Magier Batsu an.

„Aber das ist nicht dein Problem", grollte Magier Myak. „Dein Problem ist, dass dieser Zauber ihn nicht getötet hätte. Er hätte ihn geschwächt, ja, aber nicht getötet."

Thordric atmete tief aus. Wenn es das nicht war, was ihn getötet hatte, was dann? Er presste seine Lippen zusammen, während er versuchte, die lange Liste von Flüchen, die ihm in den Sinn kamen, nicht zu sagen. Es hatte zu absolut nichts geführt. „Haben Sie eine Idee, was es dann war?", sagte er nach einiger Zeit.

„Nein, junger Sir", sagte Magier Myak. „Ich weiß es nicht."

„I-ich auch nicht“, fügte Magier Batsu hinzu.

Thordric brachte sie wieder aufs Revier, wo er mehrere weitere Magier sah, die in das ohnehin schon überfüllte Büro gepfercht worden waren. Der Inspector ging sie anscheinend in hohem Tempo durch. Er ließ sie dort zurück und ging zu den Zellen hinunter, wo nur noch ungefähr ein Dutzend übrig waren. Er sprach mit dem Constable, der Wache stand, und bat ihn, für ihn den Inspector zu holen. Der Constable zögerte, aber Thordric sah, dass Hochmagier Vey eine kleine Handbewegung machte und der Constable eilte schon von dannen.

„Warum haben Sie das getan?“, fragte Thordric Vey, während er näher an die Zellen ging, sodass er nicht schreien musste. Die anderen Magier beobachteten ihn und Magier Rarn, der nun wach war, murmelte leise etwas Düsteres.

„Ich dachte, ich könnte dir aushelfen. Der Inspector hat dir hier eine schwere Arbeit aufgetragen, Thordric, und erwartet von seinen Männern, die Befehle von jemandem auszuführen, den sie für einen kleinen Jungen halten. Sie sollten dich respektieren, denn du bist eindeutig sehr verständnisvoll und intelligent – eine Qualität, die die meisten von ihnen, wie ich fürchte, nicht besitzen.“

Thordric konnte nur grinsen. „Es tut mir leid, dass wir Sie so einschließen mussten, Vey“, sagte er.

Magier Rarn brachte das auf. „Erweise seinen Hochwürden den angemessenen Respekt, Junge!“, schrie er. „Er ist Hochmagier und du tätest gut daran, dich daran zu erinnern!“

Vey sah ihn an und erhob eine Augenbraue, dann schickte er ihn mit einem kleinen Magieschub wieder schlafen. „Ich befürchte, Magier Rarn sorgt sich zu sehr um den Status und das offizielle Protokoll. Ich persönlich finde meinen Titel ein wenig ermüdend.“

Thordric hätte gerne noch etwas länger mit Vey gesprochen, aber der Constable erschien wieder mit dem Inspector im Schlepptau, dessen Überreste seines Schnurrbarts sich in alle Richtungen kräuselten. „Inspector, ich muss privat mit Ihnen sprechen“, sagte Thordric schnell, bevor er angeschrien wurde.

Sie gingen wieder hoch ins Büro des Inspectors und hielten sich diesmal nicht mit Tee auf. Der Inspector stellte sich hinter seinen Stuhl, er war zu aufgeregt zum Sitzen. „Ich hoffe, du hast gute Nachrichten, Junge. Ich kriege nichts aus diesen Magiern heraus.“

Thordric atmete tief ein und sagte ihm, was Magier Myak und Magier Batsu gesagt hatten. Als er geendet hatte, war der Inspector still. Er setzte sich und öffnete seine Schublade. Er nahm eine kleine, verzierte Glasflasche heraus, die mit einer blaugrünen Flüssigkeit gefüllt war. Er stellte sie vor Thordric auf den Schreibtisch. Thordric leckte nervös seine Lippen.

„Weißt du, was das ist, Junge?“, sagte er, während er auf die Flasche zeigte.

„Ein-ein Trank, Inspector?“

„Ja. Er hilft, nach einem langen Tag meine Nerven zu beruhigen. Hast du eine Ahnung, wer ihn mir gegeben haben könnte?“

„Nein, Inspector“, erwiderte er und fragte sich, wohin dieses Gespräch führte.

Der Inspector sah etwas traurig nach unten. „Er wurde mir von Hochmagier Kalljard gegeben, an dem Tag, an dem er kam, um mir zu meiner Beförderung zum Inspector zu gratulieren. Das war das erste Mal, dass ich ihn getroffen habe und ich hätte damals geschworen, dass er der großzügigste und verständnisvollste Mensch sei, den ich je getroffen habe. Er gab mir zwanzig Kisten. Genug, dass sie von damals an bis zu meiner Rente reichen.“

„Funktioniert er, Inspector?“

„Ja. Manchmal zu gut." Er hielt inne und schüttelte den Kopf. „Lizzie hat dir von ihrem Mann erzählt, oder nicht? Wie ich seinen Tod unter der Decke hielt, sodass die Zeitungen sie nicht verfolgen würden?"

„Sie ... das hat sie", sagte er, während sich Gänsehaut auf seinen Armen ausbreitete. Worauf wollte der Inspector hinaus?

„All das geschah nicht lange, nachdem mir das geschenkt worden war, und ich habe es jeden Tag eingenommen. Er hat meinen Verstand betäubt, Thordric. Er ließ mich das Protokoll ignorieren und das wohlbekannte Vorurteil gegenüber Halbmagiern einsetzen. Wenn ich ihn nicht eingenommen hätte, hätte ich meine Arbeit ordentlich gemacht und herausgefunden, was an jenem Abend, als er das Haus verließ, geschehen ist."

Er nahm die Flasche und schleuderte sie zu Boden, was Thordric aufschrecken ließ.

„Hilf mir herauszufinden, wer Kalljards Tod geplant hat, sodass ich ihm persönlich danken kann, dass er die Welt von einem so verachtenswerten Menschen erlöst hat."

SIEBZEHN
DIE BEFRAGUNG RARNS

Magier Rarn saß vor Thordric, atmete schwer und fummelte an den Ärmeln seines Gewands herum. Jeglicher Hauch seines höflichen Benehmens, das er gezeigt hatte, als Thordric zum ersten Mal mit dem Inspector zum Rat gegangen war, war verflogen. Jetzt war er abfällig und unkooperativ, wie Thordric in der letzten halben Stunde herausgefunden hatte.

„Rarn, ich werde Sie dazu bringen, mir zu sagen, was Sie wissen", sagte Thordric. Er wünschte, der Inspector hätte sich um Rarn gekümmert, aber da er einer der jüngeren Magier war, war es Thordric zugefallen, ihn zu befragen.

„Mein Titel ist Magier Rarn, unverschämter Junge!", schrie Rarn.

„Schön. *Magier* Rarn, Sie werden all meine Fragen beantworten. Nun, wie lange sind Sie schon Mitglied des Rats der Magier?"

„Was geht dich das an?", sagte Rarn.

„Antworten Sie mir!", schrie Thordric und sprang auf seine Füße. „Oder ich werde dem Inspector sagen, dass Sie lebenslänglich eingekerkert werden müssen."

Rarn funkelte und fuhr mit seiner Hand den Tisch entlang, dabei kratzte er mit seinen Nägeln. Das hohe Geräusch, das das verursachte, ließ Thordric die Zähne zusammenbeißen und jeden Muskel anspannen. „Sehr gut", zischte Rarn. „Ich bin seit zehn Jahren Mitglied des Rats der Magier."

„Und auf welcher Stufe sind Sie?", fragte Thordric, während er sein Haar glättete.

Rarn flatterte mit seinen Nasenlöchern. „Ich bin ein Magier der mittleren Stufe, obwohl Hochmagier Kalljard andeutete, dass ich mehrmals befördert werden würde."

„Aber er wurde getötet, bevor er das umsetzen konnte?"

„Offensichtlich, Dummkopf. Ich bin mir sicher, dass seine Hochwürden damit fortfahren wird, sobald er sich an sein Amt gewöhnt hat."

Thordric platzte fast ein Lachen heraus. Hochmagier Vey, *ihn* befördern? Niemals. Thordric wusste, dass Vey mehr Verstand besaß. „Also, wie gut kannten Sie Hochmagier Kalljard?"

„Gut genug, dass er mich persönlich auswählte, jeden Tag seine Gemächer zu reinigen. Ich staubte all seine Bücherregale ab und bezog sein Bett und legte seine Gewänder für den nächsten Tag bereit ..."

„Also hatten Sie vollständigen Zugang?"

„Natürlich. Wie hätte ich sonst meine Pflichten erfüllt?", sagte Rarn.

„Ist Ihnen dort jemals ein Spiegel aufgefallen?", fragte Thordric. Rarn hob seine Augenbrauen und fummelte wieder an seinen Ärmeln herum.

„Da gab es einen Spiegel", sagte er. „Aber er wurde ein paar Tage, bevor der ... Vorfall geschah, weggebracht. Ich glaube, er wurde durch einen Kleiderschrank ersetzt."

Nun machte Thordric langsam Fortschritte. Falls Rarn

wusste, wer ihn vermutlich wegbewegt hatte, wäre er der Lösung des Falls einen Schritt näher. Er fragte, ob Rarn das wusste, aber er sagte, er hatte sich an jenem Tag schrecklich unwohl gefühlt und war nicht zur Beaufsichtigung anwesend gewesen. Thordric fand das schrecklich verdächtig, aber Rarn gab ihm die Namen von sechs Magiern, mit denen er zusammen im Schlafsaal schlief, die bestätigen konnten, was er sagte.

Während er Rarn im Befragungsraum zurückließ, wollte Thordric einen Constable finden, den er zum Ratsgebäude schickte, um sein Alibi zu bestätigen. Da sie nur Fähigkeiten der mittleren Stufe besaßen, kannte keiner der im Ersatzbüro zusammengepferchten Magier Rarn sonderlich gut, sodass sie keine Hilfe waren.

Während er wartete, verdoppelte er die Wachen vor dem Befragungsraum, den er benutzte, und ging zum größeren, in dem der Inspector noch immer die älteren Magier befragte. Es gab ein kleines Fenster, durch das er hindurchsehen konnte, wie die Dinge so liefen. Der momentan dort befindliche alte Mann weinte. Thordric musste nicht raten, warum.

Der Mann wischte seine Augen mit dem Ende seines Bartes ab, aber die Tränen flossen weiter. Der Inspector bedrängte ihn für Einzelheiten, fragte, ob er etwas über die Verschwörung gewusst hatte, aber den Mann schüttelte einfach nur den Kopf und konnte nicht sprechen. Der Inspector seufzte und stand auf, während er den Wachconstables bedeutete, den Magier nach oben zu bringen. Er sah Thordric und kam heraus zu ihm.

„Ich dachte, du befasst dich mit Rarn, Junge“, sagte er, während er an seinem Schnurrbart zog. Seit letztem Mal hatte sich noch mehr von ihm gelöst und er schien kein Eigenleben mehr zu führen.

„Das tue ich, Inspector. Er hat zuerst nicht kooperiert, aber ich habe ihm gesagt, Sie würden ihn lebenslang einsperren, wenn er nicht anfangen würde zu reden."

Der Inspector kicherte. „Du fängst an, vielversprechend zu werden, Junge. Also, was hat er gesagt, als du seine Zunge gelöst hattest?"

„Er sagte mir, er sei Kalljards persönlicher Kammerreiniger. Anscheinend wählte ihn Kalljard persönlich für diese Arbeit aus."

„Er war ein Hausmädchen?" Der Inspector lachte so sehr, dass sich seine Augen mit Wasser füllten.

„Es gibt noch mehr, Inspector. Rarn sah den Spiegel in Kalljards Gemächern, aber er sagte, dass er weggebracht und durch einen Kleiderschrank ersetzt worden sei, ein paar Tage vor dem Zwischenfall."

„Oh, das wusste er? Wo war er, als das passiert ist?"

„Er behauptet, er hätte sich an dem Tag nicht gut gefühlt und sei in den Schlafräumen geblieben. Ich habe gerade einen Constable dorthin geschickt, um sein Alibi durch die anderen Magier bestätigen zu lassen."

„Das war gute Arbeit, Junge. Bleib dran und lass mich wissen, was der schleimige Penner noch so zu sagen hat." Er drehte sich um, um wieder reinzugehen. „Oh, übrigens, Junge. Dir wächst ein Backenbart. Ich glaube, es wird bald Zeit für deine erste Rasur." Er zeigte auf Thordrics stoppeliges Kinn.

Thordrics Wangen fingen an sich zu röten, aber der Inspector war gegangen, bevor er es bemerken konnte.

Er ging zum Befragungsraum zurück, in dem sich Rarn befand, und sah durch das Fenster, um sicherzugehen, dass er nichts vorhatte. Rarn sah Thordric und starrte ihn lange und ausdruckslos an. Thordric wandte ihm den Rücken zu und ging rauf, um auf die Rückkehr des Constables zu warten.

Er bereitete sich Tee zu und traute sich sogar, ein paar der Jaffa Cakes des Inspectors zu nehmen. Er setzte sich an einen leeren Schreibtisch und sah aus dem Fenster. Es war jetzt dunkel und es schneite wieder. Er hoffte, der Constable, den er geschickt hatte, würde bald zurückkehren, denn ansonsten würde Thordric bis tief in die Nacht arbeiten, um mehr Informationen aus Rarn herauszubekommen.

Da er bemerkte, dass ihn die Magier im Büro alle anstarrten, bat er den Constable, sie zu entlassen. Es ergab keinen Sinn, sie hier zu behalten, wenn sie wirklich nichts wussten. Hochmagier Vey würde dennoch die ganze Nacht bleiben müssen, denn er würde als letzter befragt. Thordric gähnte und leerte seine Tasse Tee gerade rechtzeitig, als der Constable durch die Tür kam. Er sah aus, als würde er jeden Moment erfrieren. Thordric goss ihm Tee ein und er nahm ihn dankbar an.

„S-sie a-alle h-haben es b-bestätigt", sagte er mit klappernden Zähnen.

Thordric fluchte stumm. „Danke, Constable", sagte er und führte ihn zum einzigen Kamin. Er sah zu, wie der arme Mann seine nasse Jacke auszog und sich so nah wie möglich an den Flammen zusammenkauerte, ohne sich selbst dabei zu verbrennen. Thordric nickte und ging wieder die Treppe zum Befragungsraum hinunter.

Rarn grinste selbstgefällig und hatte sein zuvor rotes Gewand in dein dunkelblaues verwandelt. Das ließ sein blasses Gesicht ungesund aussehen. Thordric spürte, dass er den Mann verachtete. Er nahm seinen Stuhl und bewegte ihn genau dorthin, wo Rarn saß, nahe genug, um ihn greifen zu können, falls das erforderlich sein sollte.

„Magier Rarn, als der Inspector das erste Mal kam, um Hochmagier Kalljard die letzte Ehre zu erweisen, erzählten Sie ihm, wie ich glaube, Ihre Theorie darüber, wie er gestorben sei. Erinnern Sie mich bitte noch mal", sagte er kalt.

Rarn straffte sich. „Ich sagte, dass ich glaube, dass er aufgehört hat, seinen Trank der ewigen Jugend zu nehmen", sagte er, während er Thordrics Blick erwiderte.

„Was wäre, wenn ich Ihnen sagen würde, dass wir Trank im Magen von Hochmagier Kalljard gefunden haben und er dem Trank entsprach, den er immer so sorgfältig in einem der Bettpfosten versteckt hat. Wenn er wirklich damit aufgehört hätte ihn zu nehmen, wäre davon nichts mehr in seinem Körper gewesen."

„Und wer sagt, dass der, den du in seinem Raum gefunden hast, wirklich sein Trank der ewigen Jugend ist?", sagte Rarn, während er seine Lippen leckte. „Ich wette, dass der Trank, den du gefunden hast, hellrosa war, oder nicht?"

Thordric legte die Stirn in Falten. „Warum sagen Sie das?"

Rarn lachte. „Die Farbe seines Jugendtranks war kein Geheimnis, er hat ihn mehrmals im Essensraum getrunken." Er wendete sich verschlagen Thordric zu. „Weißt du, wie viele Tränke es gibt, die zufälligerweise hellrosa sind? Ich kenne zumindest fünf, jeder hat *sehr* unterschiedliche Eigenschaften", sagte er, seine Stimme tropfte vor Bosheit.

Thordric hatte genug gehört. Er schlug mit seiner Faust auf den Tisch und widerstand dem Drang, Rarn schweben zu lassen und an die Wand zu klatschen. Nein, dachte er, ich brauche ihn bei Bewusstsein.

Stattdessen verließ er schnell den Raum und rannte durchs Revier und durch die Tür. Er rannte in Richtung Leichenhalle, da er hoffte, seine Mutter und Lizzie wären noch da. Das waren sie.

Als er auf sie zu kam, sah er, dass sie in ein Gespräch vertieft waren, aber sie hörten plötzlich auf, als sie den Ausdruck von Verachtung auf seinem Gesicht sahen.

„Thordric?", begann seine Mutter. „Ist alles in Ordnung?"

Er schüttelte den Kopf und hob seine Hände, da er wusste, dass er, wenn er sprach, es später bereuen würde. Stattdessen eilte er zum Schreibtisch seiner Mutter und durchwühlte alle Phiolen, bis er gefunden hatte, wonach er suchte. Dort! Er nahm die Flasche mit der rosa Flüssigkeit, die sie in Kalljards Bettpfosten gefunden hatten, und rannte dann schneller wieder hinaus als ein Orkan wüten konnte.

Auf seinem Weg rannte er direkt in den Inspector.

„Inspector", sagte Thordric und versuchte, seine Wut nicht seine Stimme beeinflussen zu lassen. „Ich glaube, Sie möchten vielleicht mit mir mitkommen."

Der Inspector öffnete zum Protest seinen Mund, aber er erkannte die Dringlichkeit in Thordrics Augen. „Nun gut, Junge", sagte er und ließ Thordric ihn zum Befragungsraum bringen, in dem Rarn sich befand.

Thordric stieß Rarn den Trank zu. „Trinken Sie das", spuckte er aus. „Trinken Sie das und wir finden heraus, was er bewirkt."

Rarn wich zurück und stützte sich an der Wand an. Er beäugte den Trank, als sei es Gift. „Nun, es gibt keinen Grund zur Eile", sagte er, indem er seine Hände hob. „Es war schließlich nur eine Theorie. Sie haben gefragt, was ich denke ..."

„Was ist hier los, Junge?", sagte der Inspector.

„Dieser aalglatte Schleimbolzen hier erwähnte, dass jemand Kalljards Jugendtrank mit einem anderen Trank der gleichen Farbe getauscht hat. Ich wollte diese Theorie testen."

„Oh", sagte der Inspector, indem er von Thordric zu Rarn sah. „Nun, ich nehme an, dass wir wirklich keinen anderen Weg haben, das zu testen." Er sah Rarn an, seine Mundwinkel glitten nach oben. „Es tut mir wirklich schrecklich leid, mein lieber Magier Rarn", sagte er sarkastisch. „Aber ich befürchte, Sie müssen tun, was der Junge sagt." Er trat zur Seite, wurde zum Zuschauer und ließ Thordric fortfahren.

Thordric legte die Flasche nachdrücklich in Rarns Hand. Rarn bewegte sich nicht. „Ich wollte nicht, dass Sie es so bald herausfinden, aber Sie lassen mir keine Wahl", sagte Thordric. Er ließ seine Magie in Rarns Hände fließen, wodurch er ihn die Flasche öffnen und den Inhalt seine Kehle hinuntergießen ließ.

Als Rarn trank, sah er Thordric mit einer Mischung aus Schrecken und Überraschung in seinen Augen an, und eine Pfütze gelber Flüssigkeit bildete sich um seine Füße herum.

„Sieht aus, als bräuchten Sie auch ein sauberes Gewand", kicherte der Inspector.

Thordric verschränkte seine Arme und wartete. Er wartete eine halbe Stunde lang, dann eine Stunde. Nichts geschah. Rarn stand immer noch da und erfreute sich bester Gesundheit. Er starrte Thordric einfach nur an.

„Es scheint, Sie hätten Glück, Magier Rarn", sagte der Inspector, als die Uhr im oberen Stockwerk Mitternacht schlug und ihn aus seinem Nickerchen riss. „Ihre Theorie scheint falsch zu sein."

Rarn ließ ein erleichtertes Wimmern hören. Der Inspector rief Thordric zu sich und flüsterte in sein Ohr. Thordric wandte sich wieder mit einer zufriedenen Grimasse auf seinem Gesicht an Rarn und ließ ihn aus dem Raum heraus und den Korridor entlang zu den Zellen schweben.

Als er vorbeischwebte erhob Hochmagier Vey eine Augenbraue darüber, aber er sah nicht übermäßig überrascht aus. Thordric legte Rarn in der leeren Zelle neben ihm ab.

„Glauben Sie nicht, dass ich schon mit Ihnen fertig bin", sagte er. Rarn wimmerte wieder und kroch so weit von Thordric weg wie er konnte.

„Ich befürchte, wir können Sie vor morgen nicht befragen, Vey", sagte er, indem er sich ihm zuwendete. „Es tut mir sehr leid, Ihnen mitteilen zu müssen, dass Sie die Nacht über hierbleiben müssen. Ist es warm genug für Sie? Hätten Sie gerne zusätzliche Decken oder etwas zu essen oder zu trinken?"

„Es geht mir gut, danke, Thordric. Du musst dich nicht

entschuldigen. Ich bin sicher, du hattest einen langen Tag."
Thordric nickte und verabschiedete sich, dann ging er die kalten Stufen zum Hauptraum des Reviers zurück nach oben. Er traf auf seine Mutter, die gerade aus der Leichenhalle kam, und sie gingen zusammen nach Hause. Diesmal machte Thordric keinen Hehl aus seinen Kräften und ließ den ganzen Schnee in der Straße schmelzen, sodass sie einfacher gehen konnten.

ACHTZEHN
OFFENBARTE IDENTITÄT

THORDRICS SCHLAF WAR IN DIESER NACHT RUHELOS UND es gab Zeiten, zu denen er nicht sicher war, ob er wach war oder nicht. Er fühlte sich trotz der Kühle des Hauses furchtbar warm und stand zwei Stunden früher als gewöhnlich auf.

Er stand hellwach vor seinem Waschbecken. Die Stoppel auf seinem Kinn waren wirklich gewachsen und er griff mit einem leicht verzogenen Gesicht zum Rasierer, den ihm seine Mutter voriges Jahr zum Geburtstag geschenkt hatte. Er war bedrohlich scharf, was seinen Adamsapfel nur schon beim Anblick zittern ließ.

Fast eine halbe Stunde später, mit Taschentuchstückchen, die sein Gesicht bedeckten, wo er in die Haut geschnitten hatte, stand er sauber rasiert da. Leider war er dabei so nervös gewesen, dass er nun schweißgebadet war und ein Bad nehmen musste. Er ging wimmernd, als der kalte Wind ihm entgegen blies, raus ins Badehaus und zog die Blechbadewanne von der Wand. Er platzierte sie in der Mitte des kleinen Raums und nahm dann die Eimer, um mit ihnen Wasser zu holen. Indem er immer wieder zur Küche und zurück ging, füllte er die

Wanne, bis sie so voll war wie er es schaffte. Es ging schneller als üblich, denn er musste es nicht zuerst auf dem Herd erhitzen. Er benutzte seine Magie wie er es in Lizzies Haus getan hatte und lachte über die Probleme, die er damals damit gehabt hatte.

Er sprang rein und entspannte sich, als das wunderbar warme Wasser seine Haut umspülte. Als er herauskam war es an der Zeit, seine Uniform anzuziehen und zum Revier zu gehen. Er hatte gerade noch so viel Zeit, den von seiner Mutter zubereiteten Porridge hinunterzuschlingen.

Als er am Revier ankam fand er alle Constables müder aussehend vor, als er sich zuvor gefühlt hatte. Der Inspector kam gerade aus seinem Büro und hatte damit zu kämpfen, sein Gesicht unter Kontrolle zu halten. Die Überbleibsel des Schnurrbarts des Inspectors waren ausgefallen und seine Augen waren so dunkel umrandet, dass es aussah, als hätte er sich den Kajal von Thordrics Mutter ausgeliehen und ihn komplett um sie herum verschmiert.

„Morgen, Junge", murmelte er, während er ein unfreiwilliges Gähnen sehen ließ. „Rarn wartet schon im Befragungsraum auf dich. Er ist noch genauso in Panik wie gestern Abend, als du mit ihm fertig warst. Heute sollte es also keine Probleme geben. Komm und hol mich ab, wenn du fertig bist, und wir sprechen zusammen mit Hochmagier Vey."

„Das werde ich, Inspector", sagte er. Dann beugte er sich mit einem nachträglichen Einfall zum Ohr des Inspectors und sprach mit so leiser Stimme, sodass ihn keiner der Constables hören konnte. „Ähm, Inspector, ich kann, ähm, wenn Sie wollen, Ihren Schnurrbart wieder wachsen lassen."

Der Inspector lehnte sich überrascht zurück. „Wirklich?", flüsterte er. „Du kannst das wirklich? In diesem Fall, Junge, trittst du am besten für ein paar Augenblicke in mein Büro." Er sah sich nach den Constables um, aber sie schienen zu müde zu sein, als sich dafür zu interessieren.

Thordric folgte ihm ins Büro und schloss die Tür hinter ihnen. „Wie lange möchten Sie ihn, Inspector?", fragte er.

Der Inspector zuckte die Schultern. „So lange wie er war, als er angefangen hat auszufallen, und auch genauso dicht."

„In Ordnung", sagte Thordric. „Entschuldigen Sie, Inspector." Er legte seine Finger unter die Nase des Inspectors, ließ seine Magie in seine Hand fließen und tat so, als wolle er die Haare aus der Haut ziehen. Sie kamen langsam, zuerst nur spärlich, aber als Thordric erst einmal das Magiegleichgewicht gefunden hatte, das er nutzen musste, wuchsen sie dichter. Kaum eine Minute war vergangen, bevor der Inspector seinen Schnurrbart zurück hatte, genauso buschig und emotional reagierend wie zuvor.

„Das ist sehr beeindruckend, Junge", sagte der Inspector, während er mit seinen Fingern über ihn strich. „Ich glaube, das ist Grund genug, dich zu befördern."

Thordric grinste und ließ den Inspector seinen Schnurrbart mit einem Kamm pflegend zurück. Er ging nach unten, vorbei an den Zellen, wo er Vey sah, wie er frische gebackene Bohnen und Käse zum Frühstück aß, dann ging er in den Befragungsraum. Rarn kauerte bedauernswert in einer Ecke und ignorierte den Tisch und die Stühle vollständig. Thordric beschloss ihm zu helfen, indem er ihn auf einen Stuhl schweben ließ und ihn dazu zwang, aufrecht zu sitzen.

„Guten Morgen, Rarn", sagte Thordric, während er sich selbst setzte. Rarn versuchte, seinen Stuhl selbst weiter weg zu schieben, aber Thordric hielt ihn an Ort und Stelle.

„Was ... was bist du?", brachte Rarn hervor. Sein Gewand fing an, seine Farbe zu verändern, es wurde von Blau zu Lila zu Rot und machte den Rest der Regenbogenfarben durch. Er schien nicht zu bemerken, dass er das tat.

„Ich bin ein Halbmagier", erwiderte Thordric ruhig. Rarn sah skeptisch drein.

„Aber du kannst Magie benutzen, ohne Schaden zu verursachen. Du kannst kein Halbmagier sein. Die sind nicht stark genug."

„Ich *bin* ein Halbmagier, Rarn. Ich wurde gerade ausgebildet, genau wie Sie."

„Von wem? Wer würde es wagen, unsere Geheimnisse mit einem wie dir zu teilen?"

„Das geht Sie nichts an. Nun, lassen Sie mich Ihnen eine Frage stellen. Haben Sie das hier jemals gesehen?", sagte er und schob ihm die Kopie von Kalljards Verschwörung zu. Rarn sah sie kurz an und zuckte die Schultern.

„Vielleicht habe ich das. Es sieht wie alle anderen Dokumente aus, die Hochmagier Kalljard auf seinem Schreibtisch hatte", schnaubte er.

„Lesen Sie es, Rarn", sagte Thordric und neigte Rarn nach vorne, sodass er keine andere Wahl hatte, als sich das Papier richtig anzusehen. Rarn las es und zuckte wieder die Schultern. „Sie wussten davon, richtig?", klagte ihn Thordric an.

„Ja, ich wusste es. Aber was ging es mich an, was Hochmagier Kalljard plante?"

Thordric verlor wieder die Geduld. „Was es Sie anging?", bellte er ihn an. „Sie hätten ihn unschuldige Menschen töten lassen?"

„Aber er glaubte nicht, dass sie unschuldig waren. Er hätte auch nicht geglaubt, dass *du* unschuldig wärst. Ich hätte es nicht gewagt, etwas Anderes zu sagen."

„Sie hätten es Ihren Brüdern sagen müssen. Sie wären mutig genug gewesen, das zu tun, wenn sie es gewusst hätten."

„Oh nein, ich glaube nicht, dass sie das hätten. Siehst du, Hochmagier Kalljard ließ sie alle denselben Trank trinken, den dein Inspector so mag. Sie hätten nichts gegen ihn sagen können, auch wenn sie es gewollt hätten."

„Sie lügen besser nicht, Rarn", sagte Thordric, während er seine Zähne zusammenbiss.

„Warum sollte ich lügen?", schmunzelte Rarn. „Frag seine Hochwürden, wenn du mir nicht glaubst. Er hat ihn immer für alle hergestellt."

Thordric spielte mit der Idee, Rarns Haar komplett ausfallen zu lassen, aber er konnte es nicht ertragen, den Mann wieder so pathetisch wimmern zu hören. „Noch eine Frage, Rarn. Wer hat Kalljard getötet und wie?"

Rarn verzog das Gesicht, als hätte ihn Thordric gerade übel beleidigt. „Ich versichere dir, dass ich absolut keine Ahnung habe."

„Gut", sagte Thordric. Er stand auf und ließ die Constables Rarn zu den Zellen zurückbringen und ging wieder zum Inspector.

Als er nach oben kam, fand er eine Notiz, die der Inspector für ihn zurückgelassen hatte, dass er in der Leichenhalle sei. Er ging dorthin, während er sich fragte, ob es nur um Anweisungen ging oder ob seine Mutter noch etwas Anderes herausgefunden hatte.

Lizzie war auch bei ihnen, als er ankam. Sie waren in eine Diskussion vertieft, während sie sich um ein großes, abgenutzt aussehendes Buch drängten.

„Inspector, Sie wollten mich sehen?"

„Ah, da bist du ja, Junge", sagte er, indem er sich umdrehte. „Komm her und sieh dir das an."

Thordric ging zu ihnen und beugte sich über das Buch. Eine Seite mit dem Titel „Mineralien der Gesamtgesundheit" war aufgeschlagen. Der Inspector tippte auf einen Eintrag namens *Tintenauge-Katzengold.*

„*Tintenauge-Katzengold?*", fragte Thordric verwirrt.

„Ja“, sagte seine Mutter. „Erinnerst du dich, dass es im Trank, den Kalljard eingenommen hatte, ein Mineral gab, das ich nicht kannte? Nun ja, das ist es.“

„Ähm, toll“, sagte er, da er unsicher war, warum sie das für wichtig hielten.

„Das ist mehr als toll, Thordric“, fuhr sie fort. „Ich wusste, dass Lizzie einige der alten Bücher ihres Mannes hatte. Und da er, genau wie du, zu ernsthafter Magie im Stande war, war er dennoch auch so etwas wie ein Geologe. Ich habe sie gefragt, ob sie ein paar herbringen könnte, um mir bei der Identifizierung, was es war, zu helfen und hier ist es also.“

„Ich weiß immer noch nicht ...“

„Lies, was da steht, Junge“, schalt ihn Lizzie. Das tat er.

Tintenauge-Katzengold (Ousus Inkett): Normalerweise in Gebirgsregionen und in der Nähe von Vulkanen auffindbar. Dunkelrot mit silbernen und blauen Flecken. Es ist ein weiches Mineral mit vielen Heileigenschaften, einschließlich erhöhter Energie und erhöhtem Gesamtwohlbefinden. Achtung: Bei Gebrauch mit bestimmten Kräutern zusammen kann es sich als tödlich erweisen.

„Bei Gebrauch mit bestimmten Kräutern zusammen kann es sich als tödlich erweisen?“, fragte er, indem er aufsah.

„In der Tat“, sagte seine Mutter. „Aber keine der Kräuter im Trank haben diesen Effekt. Jedoch ...“

„*Reizender Sonnenstrahl* hatte ihn, oder nicht?“, fragte Thordric, der plötzlich verstand.

„Korrekt“, sagte sie.

„Also, wenn wir herausfinden, wer ihm das injiziert hat, haben wir unseren Mörder?“

„Genau, Junge“, sagte der Inspector. „Nun, was hatte Rarn zu seiner Verteidigung zu sagen?“

Thordric blinzelte. Er hatte Rarn vollkommen vergessen. „Er wusste von der Verschwörung, Inspector“, sagte er.

Der dem Inspector wieder neu gewachsene Schnurrbart kräuselte sich.

„Es gibt da noch mehr", fuhr Thordric fort. „Er sagte mir, dass Kalljard die anderen Magier den gleichen Trank trinken ließ, wie er Ihnen gab. Auch wenn sie von der Verschwörung gewusst hätten, hätten sie nicht versucht ihn aufzuhalten."

„Er war wirklich ein Monster, nicht wahr?", sagte seine Mutter. Thordric, Lizzie und der Inspector nickten alle.

„Hat er noch etwas gesagt?", fragte der Inspector.

„Nun ja, er sagte, dass er nicht weiß, wer der Mörder ist ... und er sagte auch, dass wir Hochmagier Vey über den Trank, den sie alle nahmen, befragen sollten. Anscheinend war Vey derjenige, der ihn für sie braute."

„Ich glaube, wir sollten dann wohl besser gehen und mit ihm sprechen. Schließlich haben wir ihn lange genug warten lassen", sagte der Inspector. „Würden Sie uns gerne begleiten, meine Damen? Es könnte sich als recht interessantes Gespräch erweisen."

Lizzie und Thordrics Mutter warteten im Büro des Inspectors, während Hochmagier Vey zum größeren Befragungsraum gebracht wurde. Thordric blieb bei ihnen und machte Tee, während er ihnen alles über die anderen Magier erzählte, mit denen er gesprochen hatte, und wie sie auf die Nachricht von Kalljards Verschwörung reagierten. Lizzie lachte, als er ihnen davon erzählte, wie er mit Magier Rarn umgegangen war und beglückwünschte ihn zur Nutzung der Levitation.

Ein Constable klopfte an die Tür und sagte ihnen, dass der Inspector bereit sei. Immer noch lachend gingen sie nach unten.

Der Inspector führte sie in den Raum, in dem Vey wartend saß. „Meine Damen, das ist Hochmagier Vey. Hochmagier Vey,

Sie haben ja schon meine Pathologin Maggie kennengelernt und das hier ist meine Schwester, Lizzie."

„Schön, Sie wiederzusehen, Hochmagier Vey", sagte Thordrics Mutter, als sie sich setzte.

„Ja, ein Vergnügen ...", hob Lizzie an, brach dann aber ab, da ihr der Atem in der Brust stecken blieb. Sie gaffte Vey an und er gaffte zurück, gleichermaßen schockiert.

„Was ist los, Lizzie?", fragte Thordric, während er zwischen ihr und Vey hin und her sah.

„Er ... er ist mein Sohn", sagte sie.

NEUNZEHN
DIE WAHRHEIT

Im Raum war es still. Alle sahen Lizzie und Vey ungläubig an. Vey stand auf und ging auf seiner Seite des Raums umher. Sein gewöhnlich ruhiges Gesicht war von Kummer gezeichnet und er blieb mehrmals stehen und öffnete seinen Mund, es kam aber nichts heraus.

Thordric brach die Stille, Neugierde und Sorge sprachen aus ihm. „Stimmt das, Vey?", fragte er ruhig. Vey hielt inne und erwiderte seinen Blick, dann neigte er den Kopf leicht und seine Tränen fielen zu Boden.

„Ich ... das habe ich nicht gewusst", sagte der Inspector. „Mein eigener Neffe! Ich habe dich nicht einmal erkannt."

„Das war der Punkt, Onkel. Ich dachte, wenn du mich nicht erkennen könntest, dann wäre es unwahrscheinlich, dass Mutter das tun würde", sagte Vey, dessen Stimme leicht zitterte.

„Du dachtest, ich würde dich nicht erkennen?", sagte Lizzie. „Ich weiß, es ist schon viele Jahre her, Eric, aber ich hätte dich erkannt, auch wenn es fünfzig Jahre oder hundert gewesen wären. Du bist mein Sohn, und eine Mutter erkennt ihren Sohn immer."

„Auch wenn er Magie benutzt, um sein Haar wachsen zu lassen und mit einem Aussehen wie ein dummes Monster endet", sagte Thordrics Mutter, die die Stimmung aufhellen wollte. Sie warf Thordric einen Blick zu und er grinste, während der Inspector eine Augenbraue in seine Richtung erhob. Aber weder Lizzie noch Vey schienen es gehört zu haben.

„Warum bist du weggelaufen, Eric?", fragte Lizzie sanft mit nassen Augen. Sie ging näher zu ihm, aber er trat leicht zurück.

„Ich musste, Mutter", sagte Vey. „Du weißt, was sie Vater angetan haben. Ich musste sie dafür büßen lassen."

„Aber hast du nicht erkannt, wie gefährlich das war? Wenn sie deinen Vater getötet haben, ist es dir dann nicht in den Sinn gekommen, dass sie dir vielleicht dasselbe antun könnten?"

„Es war nicht gefährlich", Mutter. Sie wussten nicht einmal von mir. Was glaubst du, wie bin ich überhaupt in den Rat gekommen?", sagte Vey.

„Ich habe keine Ahnung, Eric, warum sagst du es uns nicht?", sagte sie, ihre Stimme verhärtete sich. Der Inspector beschloss, dass es an der Zeit war, sich einzuschalten.

„Lizzie, lasst uns alle nach oben gehen. Ich werde Tee kochen lassen und wir können uns alle hinsetzen und auf zivilisierte Art und Weise über alles sprechen", sagte er. Er ging zur Tür hinüber und hielt sie auf, damit sie durchgehen konnten. Thordrics Mutter ging zuerst, indem sie Lizzie am Arm nahm und sie nach draußen führte. Der Inspector eskortierte sie nach oben und überließ es Thordric, mit Vey zu gehen. Er verhielt sich ruhig, da er nicht sicher war, was er sagen sollte, aber es war Vey, der zu sprechen anfing.

„Meine Mutter hat dir beigebracht, wie man Magie benutzt, nicht wahr?", fragte er, aber es war eher eine Feststellung als eine Frage. „Sie ist eine gute Lehrerin. Du musst auch ein schneller Schüler sein, schon in deinem Alter auf diesem Niveau."

„Sie ... sie hat mir von Ihnen erzählt", platzte es aus Thordric heraus. „Wie Sie direkt nach dem Tod Ihres Vaters weggerannt sind. Wir haben Ihre Flöte und sein Magietagebuch im Safe am Ende des Hauses gefunden."

„Ich verstehe. Ich hätte nicht gedacht, dass sie jemanden zu diesem Haus bringen würde, nachdem ich weg war, zumindest niemanden mit so viel Magie wie du. Also hast du die Illusion dann gebrochen?"

„Ja. Sie hatte mir gerade beigebracht, wie man sie erschafft, um beim Fall zu helfen. Als ich es mir richtig angesehen habe, wusste ich, dass etwas damit nicht stimmte. Ich musste es versuchen und den Zauber aufheben." Thordric fühlte sich leicht verlegen. „Ich wollte nicht Ihre privaten Sachen durchwühlen."

Sie gingen ins Büro des Inspectors, aber Thordric wurde wieder hinausgeschickt, um Tee zu kochen und Jaffa Cakes zu bringen. Er versuchte dem Gesagten zuzuhören, aber alles, was er hören konnte, war ein sanftes Schluchzen. Als er wieder hineinging, während der enorme Haufen Jaffa Cakes gefährlich auf dem Tablett wackelte, fand er sie alle still und einander anstarrend vor. Er servierte ihnen schnell Tee und setzte sich dann auf den Stuhl, der der Tür am nächsten war.

„So, Eric", sagte Lizzie letztendlich, ihre Stimme war härter als das gefrorene Eis auf den Straßen draußen. „Warum erklärst du nicht, wie du Mitglied des Rates geworden bist?"

Vey nahm einen großen Schluck Tee und aß einen der Jaffa Cakes, bevor er sprach. „Als ich weggelaufen bin, ging ich direkt ins Ausbildungszentrum des Rats der Magier. Ich habe eine Geschichte erfunden, dass ich seit ich ein Kind war im Koma gelegen hätte und dass ich gerade erst herausgefunden hätte, dass ich magische Kräfte habe. Ich sagte ihnen, dass niemand sonst in der Familie jemals über magische Kräfte verfügt hätte, da jeder weiß, dass nur Vollmagier aus Familien ohne vorherige Magier kommen können, also glaubten sie mir. Sie ließen mich mit den Grundlagen anfangen, aber ich kannte schon das meiste der Magie, die sie lehrten, und so holte ich die anderen in meinem Alter schnell ein."

„Aber es gab nie Anzeichen, dass du Magie hast. Auch nicht, als dein Vater dich zu lehren versuchte", sagte Lizzie. Ihre Haare waren wieder ganz unordentlich und fielen um ihre Schultern herum herab, aber sie bemerkte es nicht.

„Ich wusste, dass ich Kräfte hatte, seit ich ein Kleinkind war. Ich habe einmal aus Versehen einen Watchem Watchem in einen Baum verwandelt, aber ich verfiel deshalb in Panik, sodass ich ihn irgendwie wieder zurückverwandelte. Er war, soweit ich mich erinnere, nicht sehr glücklich darüber. Er trat mir ans Schienbein. Aber egal, ich habe dir oder Vater nichts erzählt, weil ich kein Magier sein wollte, weder voll noch halb. Ich wollte nur normal sein, aber Vater glaubte dennoch an mich und so übte ich immer nachts die Magie, die er mich lehrte, sodass ihr es nicht mitbekamt." Er nahm einen weiteren Schluck Tee. „Dann ... nachdem *es* geschah, fand ich sein Tagebuch und wusste, dass Kalljard es irgendwie getan hatte."

„Also bist du dem Rat beigetreten, sodass du ihn herausfordern konntest?", fragte der Inspector.

„So fing es an, ja. Aber je mehr ich über ihn und den Rat erfuhr, desto mehr wusste ich, dass Vater so etwas Kindisches nicht gewollt hätte. Stattdessen begann ich Pläne zu schmieden, um zu versuchen, die Denkart des Rats zu verändern."

Lizzie atmete tief ein. „Zehn Jahre lang habe ich dich gesucht, Eric. Zehn Jahre lang war ich krank vor Sorge, da ich nicht wusste, ob du tot oder lebendig warst, bis mein Herz und Geist es nicht mehr länger ertragen konnten. Ich habe die Suche beendet, da es zu schmerzhaft war, und seitdem habe ich versucht, mir wieder ein neues Leben aufzubauen. Und nun finde ich dich, mir ... mir fehlen die Worte."

„Es tut mir leid, Mutter. Von ganzem Herzen", sagte Vey. Thordric sah in seine Augen und sah, dass er es so meinte. „Ich wollte so oft Kontakt aufnehmen. Ich habe Briefe angefangen, aber es gelang mir nicht. Ich durfte nicht riskieren, dass sie herausfanden, wer ich wirklich war. Meine Mission war dafür zu wichtig."

Lizzie begann leise zu schluchzen und Thordrics Mutter gab ihr ein Taschentuch, um damit ihre Tränen zu trocknen. Vey fing auch an zu schluchzen und schon bald tropften sogar dem Inspector große Tränen von seiner Nase und landeten in seinem Schnurrbart. Thordric rutschte unbehaglich hin und her, da er sich so ziemlich als Außenseiter bei dem fühlte, was nun zu einem Familientreffen wurde. Dann kam ihm ein Gedanke.

„Vey", sagte er und hatte die Tränen ganz vergessen. „Rarn sagte mir, als ich ihn befragte, etwas, worüber ich Sie befragen sollte." Seine Mutter warf ihm einen missbilligenden Blick zu, aber Vey sah ihn an, als sei er fast schon froh über die Unterbrechung.

„Was war das, Thordric?", sagte er.

„Er ... er sagte mir, dass Sie den Trank gemischt hätten, den Kalljard die Mitglieder des Rats immer trinken lassen wollte", sagte Thordric.

Vey straffte sich, während er die letzte Träne aus seinen Augen wischte. „Ja, Thordric, das habe ich. Er verriet mir die Zutaten und sagte, ich solle jede Woche sechs Kessel voll machen. Er ließ mich zuerst einen Becher trinken, sodass ich seine Wünsche nicht infrage stellen würde. Es gelang mir, ihn nicht nochmal zu trinken, aber die Magier baten immer darum und deshalb habe ich ihn weiterhin hergestellt. Ich kannte nie seine volle Wirkung."

„Also verführte er Sie genauso wie alle anderen", sagte Thordric.

„Es tut mir leid, sagen zu müssen, dass er das tat", sagte Vey traurig.

„Deine Idee, die Denkart des Rats zu verändern, wie wolltest du das genau bewerkstelligen?", fragte der Inspector, indem er seinen Schnurrbart auswrang.

„Ich wollte nahe an Kalljard herankommen, um herauszufinden, wie er dachte und was ihn motivierte. Ich dachte, falls ich das tun könnte, dann könnte ich herausfinden, warum er Vater töten ließ und je näher ich an Kalljard wäre, desto mehr würde mir der Rat vertrauen. Ich wollte es so aussehen lassen, als hätte Kalljard seine Meinung geändert und würde zu verstehen anfangen, dass Halbmagier genauso mit Magie umgehen können wie Magier."

„Und bist du in seine Nähe gekommen?"

„Ja, irgendwie schon, aber er schien mir nicht so sehr zu vertrauen wie Rarn", erwiderte Vey.

„Vielleicht hatte er herausgefunden, was Sie vorhatten", sagte Thordric. Er zog das Papier, das Kalljards Verschwörung enthielt, hervor. „Wir haben das auf Kalljards Schreibtisch gefunden. Es lag ein ziemlich starker Illusionszauber darauf und bisher hat nur Rarn gesagt, dass er es zuvor gesehen hätte. Ich bin überzeugt, dass keiner der anderen Magier etwas darüber wusste." Er hielt es Vey vor, sodass er es sehen konnte. Vey las es und sein Gesicht verhärtete sich. „Ich muss Sie das fragen, Vey. Wussten Sie davon?"

Thordric kannte die Antwort schon, aber er musste es die anderen hören lassen. Vey sah ihn an. „Das habe ich", sagte er leise.

Sie alle starrten ihn an: der Inspector, dessen Stirn ganz

zerfurcht war und dessen Schnurrbart sich kräuselte; Lizzie, deren Augen stechend, aber feucht waren; Thordrics Mutter, deren Augenbrauen sich vor intensiver Neugier bogen.

„Das war nicht alles, was wir in Kalljards Raum gefunden haben. Es gab einen als Kleiderschrank versteckten Spiegel und auf dem Schreibtisch stand eine Topfpflanze, auch bekannt als *Reizender Sonnenstrahl.*"

„Oder *Oppulus Nuvendor,* wenn du ihre Fachbezeichnung verwenden möchtest", unterbrach ihn Vey. Er seufzte und sah in all die Gesichter, die ihn anstarrten. „Dir ist nichts entgangen, oder, Thordric? Ja, ich wusste von der Pflanze und dem Spiegel."

„Hätten Sie gerne, dass ich ihnen erzähle, was geschehen ist, oder werden Sie die Geschichte selbst erzählen?", fragte Thordric, als er Vey noch mehr Jaffa Cakes anbot. Vey nahm eine Handvoll und aß sie alle schnell aufeinander folgend.

„Ich erzähle es ihnen", sagte er, während er einen Schluckauf hatte. Er stand auf und ging im Büro hin und her, während er versuchte, die richtigen Worte zu finden. Sein schweres Gewand raschelte bei jedem Schritt. „Rarn, der normalerweise Kalljards Gemächer sauber machte, war krank, sodass Kalljard mich bat, es an seiner Stelle zu tun. Er sagte, er wolle seinen Spiegel entfernen und ihn durch einen Kleiderschrank ersetzen, der an jenem Tag ankommen sollte. Er ging dann und ich konnte mich umsehen. Da sah ich, was er plante, und es ließ mein Blut gefrieren. Nachdem ich es gesehen hatte war alles, was ich zu erreichen versuchte, bedeutungslos geworden. Er war gewillt, tausende – und es gibt wirklich tausende – Halbmagier zu töten. Ich durfte das nicht zulassen."

Er hielt inne, atmete tief ein und aß noch ein paar Jaffa Cakes. Seine Hände zitterten leicht. „Ich verstehe, wie Sie sich gefühlt haben, Vey", sagte Thordric, da er das Gewissen des

Hochmagiers erleichtern wollte. Vey nickte anerkennend und fuhr fort.

„Ich vertauschte den Spiegel durch den Kleiderschrank, wie er mich gebeten hatte, aber ich behielt den Spiegel in der Nähe, sodass ich Hand anlegen konnte, wenn ich musste. Rarn hatte Kalljard die Pflanze am Tag zuvor geschenkt, obwohl ich bezweifle, dass dieser Wurm ihre Eigenschaften kennt. Ich schnitt etwas davon ab und verbrachte die nächsten beiden Tage damit, es zu zermahlen und in eine Flüssigkeit zu verwandeln. Dann stellte ich den Spiegel wieder in den Raum, während Kalljard nicht da war und wartete, bis er zu seinem Nachmittagstee zurückkam. Es gelang mir, Rarn davon abzuhalten, hereinzukommen, indem ich ihm sagte, dass Kalljard gebeten hatte, sein Zeremoniengewand zu bügeln. Da niemand sonst hereindurfte, wusste ich, dass ich unentdeckt bleiben würde.

„Als Kalljard schließlich hereinkam gab ich vor, dass ich gerade hineingegangen war, um ihm Tee und Sandwiches zu servieren. Um ehrlich zu sein hielt ich das für eine eher schlechte Ausrede, aber er schien es zu glauben. Er ignorierte mich auf jeden Fall und ging seinen Bart schneiden. Er bemerkte dann den Spiegel, aber ich hatte ihm schon mithilfe einer magischen Nadel *Reizender Sonnenstrahl* injiziert."

„Eine magische Nadel?", fragte Thordric.

„Ja", sagte Vey, der nun lächelte. „Das ist mir selbst eingefallen. Alles, was man tun muss ist, irgendeine Flüssigkeit im Inneren einer Art Kraftfeld zu halten, wodurch man sie aus einiger Entfernung werfen kann und es hinterlässt danach keine Spuren."

„Aber wir haben an Kalljards Kopf eine Einstichstelle gefunden, die durch den braunen Fleck verdeckt war", wandte Thordric ein.

„Dann wohl *fast* keine Spur", sagte Vey. „So oder so hatte

es den gewünschten Effekt. Innerhalb von Minuten halluzinierte er so schlimm, dass er dachte, sein eigenes Spiegelbild sei ein Monster, und er versuchte es mit einem Verteidigungszauber wegzuschleudern. In seinem betäubten Zustand schlug er auf ihn zurück und verursachte, dass sich seine Haut wie Leder verhärtete. Das war nicht genau das, was ich geplant hatte, aber ich wusste, dass es ihn lange genug außer Gefecht setzen würde, dass ich seine Pläne zerstören und den Rat neu organisieren konnte."

„Aber du wusstest nicht, dass es mit seinem Trank reagieren würde, oder doch?", sagte Thordrics Mutter, als sie ihre Beine überkreuzte. Ihre roten hochhackigen Schuhe schimmerten im Licht.

„Nein, Ma'am, das wusste ich nicht", sagte Vey. Er ließ sich in den Stuhl fallen und den Kopf hängen. „Ich wollte nicht, dass es ihn tötet. Ich wollte ihn nur eine Weile aus dem Weg haben, sodass ich die Dinge berichtigen konnte."

Lizzie trocknete ihre Augen und stand auf. Vey wich zurück, da er dachte, sie würde ihn für das, was er getan hatte, zurechtweisen. Stattdessen kniete sie neben ihm und nahm seine Hände. „Es war nicht deine Schuld, Eric. Kalljard war ein abscheulicher, böser Mann. Die Welt ist ohne ihn viel besser dran", sagte sie sanft. Alle im Raum murmelten ihr zustimmend und Vey sah sie dankbar an. „Fahr fort, Eric, und sag uns, was als nächstes passiert ist", sagte sie.

Vey räusperte sich. „Nun ja ... der Trank reagierte innerhalb von Minuten und als ich ihn ansah und entdeckte, dass er tot war, geriet ich in Panik. Ich legte ihn aufs Bett, sodass es aussah, als wäre er einfach gestorben, als er ein Nickerchen gemacht hatte, und ich habe die stärkste Illusion, die ich kannte, über seine Pläne gelegt, sodass niemand etwas Böses vermuten würde. Ich habe die Einstichstelle verdeckt und habe dann das Gleiche mit dem Spiegel gemacht, aber ich hörte

Schritte neben der Tür und musste mich beeilen. Die Illusion hielt, aber nur gerade so. Dann stellte ich mich hinter die Tür, sodass ich hinausschlüpfen konnte, nachdem wer auch immer es war eingetreten war. Und so geschah es, dass Rarn zurückkam, und sobald er die Leiche sah nach Hilfe schrie. Ich ging durch die Tür wieder zurück, um zu sehen, was sich ereignete."

ZWANZIG
DEKORATION DES REVIERS

Der Inspector schickte Rarn wieder zum Rat zurück, beladen mit einem offiziellen Bericht, der feststellte, dass der Tod des Hochmagiers Kalljard ein unglücklicher Unfall gewesen war, und kein Mord. Niemand hatte Schuld daran und Hochmagier Vey würde sich wegen des Stresses, den die Befragung verursacht hatte, eine Woche lang in Urlaub begeben. Alle gefangen genommenen Magier wurden um Entschuldigung gebeten.

Thordric dachte, dass es weit mehr war, als er verdiente, dass Rarn zurück zum Rat durfte, wenn man seine Gleichgültigkeit Kalljards Plänen gegenüber in Betracht zog. Er hätte ihn lebenslang einsperren lassen, aber wie der Inspector sagte, war es an Vey zu entscheiden, was mit ihm geschehen sollte.

Was Vey anging, hatten alle im Büro des Inspectors einmütig zugestimmt, dass man ihn freilassen sollte. In ihren Augen hatte er nur zum Wohl der Menschen gehandelt, auch wenn sie es nicht wussten. Und, falls es möglich war, würde der Inspector ihn belobigen lassen. Das heiterte Vey unglaublich auf. Seine ruhige Art war wieder zurückgekehrt und er ließ die verwelkte Rose auf dem Schreibtisch des Inspectors wieder voll erblühen.

„Mutter“, sagte Vey zu Lizzie. „Ich weiß, ich habe nie geschrieben, oder dich wissen lassen, dass ich noch am Leben bin, aber ...“

Lizzie erhob ihre Hand, um ihn zum Schweigen zu bringen. „Komm eine Woche lang nach Hause, Eric. Du siehst aus, als könntest du eine ordentliche Mahlzeit gebrauchen.“

Vey stimmte zu und wendete sich wieder an Thordric. „Falls mein Onkel dich nicht braucht, würde ich dich gerne zum Abendessen einladen. Es gibt da etwas, das ich mit dir besprechen muss.“

„Und der Schnee in meinem Garten muss mal wieder geschmolzen werden, Junge“, sagte Lizzie und versuchte, ein ernstes Gesicht zu machen.

Thordric und Vey verbrachten den Rest des Tages bei Lizzie, da der Inspector ihn nach dem Mittagessen hatte gehen lassen.

Sie ließen all den Schnee im Vorgarten und hinter dem Haus schmelzen und dann schickte sie Lizzie nach oben, um das Zimmer fertig zu streichen, das sie und Thordric angefangen hatten. Vey runzelte die Stirn über die Farben, die sie ausgewählt hatte, aber er wagte es nicht zu sagen, dass sie zu bunt waren. Mit ihren vereinten Kräften dauerte es kaum fünfzehn Minuten.

Natürlich hatte Lizzie immer noch mehr Arbeiten zu erledigen, wie Thordric schon herausgefunden hatte. Sie schickte sie hoch, um das Loft zu reinigen, und als sie dort waren, hustete Thordric widerwillig. Es war dick mit Staub bedeckt und die Spinnweben schwebten nur Zentimeter über ihren Köpfen.

„Wo sollen wir anfangen?“, hob Vey an, aber seine Augen

fielen auf einen großen Haufen Bücher vor ihm. „Das ... das sind die von meinem Vater. Ich hatte sie ganz vergessen."

„Wirklich? Wovon handeln sie?", fragte Thordric erwartungsvoll und seine Augen leuchteten.

„Ich glaube", sagte Vey, während er eines der Bücher hochhob und den Staub wegwischte, „dass es noch mehr Bücher über Tränke sind, die er erschaffen hat, und über Eigenschaften von Pflanzen, die in der Nähe der Stadt und des Flusses fand." Er winkte leicht mit der Hand und wischte den ganzen Staub von den restlichen Büchern und dem Boden um sie herum weg, bevor er sich setzte, um zu lesen.

Thordric wartete einen Augenblick und fragte sich, ob er wieder aufstehen und weiterarbeiten würde, aber es war klar, dass er sich zwischen den Seiten verloren hatte. Thordric seufzte, ließ ihn kopfüber schweben und Vey ließ überrascht das Buch fallen.

„Was *tust* du?", wollte er wissen, während er eifrig sein Gewand hochhielt, sodass seine Unterwäsche nicht zu sehen war.

„Deine Mutter wird nicht glücklich darüber sein, wenn wir hier nicht saubermachen", sagte Thordric, als er Vey abwesend herumwirbelte.

Vey sah ihn schuldbewusst an. „Oh ja ... das Aufräumen ..."

Drei Stunden später, nachdem Thordric Vey noch fünf weitere Male schweben lassen musste, waren sie endlich mit dem Aufräumen des Lofts fertig. Es war nicht wiederzuerkennen, alles war sichtbar und lag ordentlich aufgetürmt da, und sie konnten nun sehen, dass die Wände genauso bunt dekoriert waren wie das Zimmer, das sie vorher gestrichen hatten. Sie hatten sogar noch mehr der Arbeiten von Lizzies Mann gefunden, und sie gingen runter in die Küche. Vey war dabei mit so vielen Büchern und Schriftrollen beladen, wie er nur tragen konnte.

Der Geruch von Lizzies Kochkünsten waberte durch den Flur und nach dem ganzen Stress des Morgens waren sie ausgehungert. Sie wollten sich gerade an den Tisch setzen, als sie sich an sie wandte. „Dürfte ich fragen, was ihr beiden glaubt, was ihr da tut?"

„Wir setzen uns einfach zum Essen hin", sagte Vey, während er alle Bücher und Schriftrollen auf den Tisch legte. Lizzie hob ihre Augenbraue so hoch an, dass sie an ihren Haaransatz zu stoßen drohte. Thordric erfasste direkt die Gefahr, in der sie schwebten.

„Ach, eigentlich wollten wir gerade die ganzen Sachen wegpacken und dann hochgehen und uns waschen. Wir würden uns doch so staubig an den Tisch setzen, oder, Vey?", sagte er, während er die Bücher wieder eilig aufnahm und Vey anstieß, dasselbe zu tun. Lizzie lächelte und sah zu, wie sie aus dem Zimmer rannten. Als sie wiederkamen, besah sie sie sich und nickte zustimmend, erst dann servierte sie endlich das Essen.

Große Stücke Hähnchen, Schinken, Rind und Truthahn wurden auf Thordrics Teller aufgetürmt, sowie ganze Stapel von Gemüse und Kartoffeln. Vey machte sich auch darüber her und sie waren so sehr mit essen beschäftigt, dass sie nichts mehr sprachen.

Thordric schluckte seine letzte Kartoffel runter und nahm einen Schluck der Saftschorle neben seinem Teller. „Also, worüber wolltest du reden?", fragte er Vey.

Vey wischte seinen Mund mit einem Tuch ab und Lizzie sah ihm amüsiert zu. „Ich habe mich gefragt, wie ernst es dir mit deiner Magie ist?", sagte er.

Thordric zuckte die Schultern. „Ernster als alles andere bisher. Ich hätte niemals geglaubt, das ich das, was ich heute tun kann, überhaupt könnte."

„Also würdest du mehr lernen wollen?", sagte Vey, während er versuchte, sich durch seinen eigenen Fleischberg hindurchzukämpfen.

„Natürlich würde ich das wollen. Aber Sie werden mir doch sowieso noch mehr beibringen, oder nicht, Lizzie?", sagte er, indem er sich an sie wandte.

„Ja, Junge, das hätte ich. Was willst du von ihm, Eric?", fragte sie.

Vey grinste. „Ich habe mich gefragt, ob du dem Rat beitreten möchtest, Thordric."

Thordric starrte ihn an. „Meinst ... meinst du das ernst?"

„Natürlich. Ich werde meine Autorität ein wenig spielen lassen müssen, damit dich die anderen Magier akzeptieren, aber wenn du erst einmal beigetreten bist, könnten sie die Fähigkeiten von Halbmagiern erkennen. Das sollte ihr Denken im Sinne meines Planes verändern."

„Ich ... Ich weiß nicht, was ich sagen soll. Ich mochte den Rat der Magier noch nie. Ich denke, ich habe mich so daran gewöhnt, dass er meine Art verachtet, dass es merkwürdig wäre, wenn ich ihm beitreten würde", sagte Thordric.

„Ich verstehe. Aber es wird auch anders sein, jetzt da Kalljard nicht mehr da ist und seine Lügen verbreiten kann. Ich möchte den Rat besser machen, Thordric. Nicht nur darin, wie er denkt, sondern auch darin, was er tut." Er sah Thordric in die Augen. „Ich brauche dabei deine Hilfe. Du hast die Art der Magie meines Vaters studiert und die Tränke und Zaubersprüche, die er erschaffen hat. Ich möchte sie in den Rat integrieren, sodass wir den Menschen *wirklich* helfen können, statt ihnen nur Lachnummern zu geben."

Thordric lachte darüber. „Meine Mutter wird dich aber dafür nicht mögen. Sie kauft immer den Spezialtee und die Kaffeemischungen – und natürlich das Badesalz." Er dachte einen Moment lang nach. „Wenn er sich wirklich verändert ... dann ja, dann würde ich dem Rat liebend gerne beitreten."

„Hervorragend. Im Moment weiß ich noch nicht, wie lange es dauern wird, alles zu richten, wenn ich nach dieser Woche zurückgekehrt bin, sodass du vielleicht noch ein wenig länger bei meinem Onkel festsitzt", sagte Vey eher entschuldigend.

„Er ist in Ordnung, wirklich", sagte Thordric. „Nun ja, er ist es jetzt, da ich seinen Schnurrbart wieder habe wachsen lassen."

Sie kicherten alle und Lizzie stellte ihre jetzt leeren Teller aufeinander und ging das Dessert holen. Sie kam mit einem ihrer Kuchen zurück, nur dass er viel größer war als einer ihrer anderen, die Thordric sie zuvor hatte backen sehen, und er war mit Schokoladensauce und Kirschen gefüllt. Er nahm sich ein großes Stück, indem er seine Magie benutzte, um das Messer beim Schneiden zu führen. Vey beobachtete ihn und ein anerkennendes Schmunzeln huschte über seine Lippen.

„Ich habe ein Gefühl, dass er nicht allzu lange nur mein Chef bleiben wird", fuhr Thordric fort. „So wie meine Mutter und er sich ansehen."

„Ja, das habe ich bemerkt", sagte Lizzie, nicht vollkommen zustimmend. „Sich wie Jugendliche anzusehen, die nicht älter als du sind, reicht manchmal aus, dass ich in Ohnmacht falle."

„Da bin ich froh, dass ich nicht der einzige bin", grinste Thordric. Er schnitt ihr und Vey auch große Kuchenstücke und ließ sie auf ihre Teller schweben. Er genoss es irgendwie, dass er das tun konnte.

„Wie gut sind deine anderen magischen Fähigkeiten, Thordric?", fragte Vey, während er ihm zusah. Thordric öffnete seinen Mund, aber Lizzie fiel ihm ins Wort.

„Er hat die Sache mit dem hölzernen Mann, für die dein Vater drei Wochen gebraucht hat, in nur zwei Tagen herausgefunden. Er hat ausreichende Fähigkeiten für alles, was du von ihm willst", sagte sie leuchtend. „Er kann auch Wandfresken malen und die Watchem Watchems scheinen ihn zu mögen."

Vey hob an dieser Stelle seine Augenbrauen an und versuchte, mit seinem Mund voller Kuchen zu sprechen. Eine Art erstickendes Grummeln kam heraus und Thordric lachte darüber. „Du hast die Watchem Watchems gesehen?", sagte Vey schluckend. Thordric zuckte leicht die Schultern und erzählte ihm alles über die Zeit mit ihnen in den Wäldern. „Das ist sehr beeindruckend. Vater sagte, sie würden nur Menschen mit einem wirklich guten Herzen mögen ... und starker Magie."

Der nächste Tag war für Thordric nicht wie gewöhnlich, jetzt da seine Ermittlung beendet war. Er ging zur normalen Zeit zum Revier, kam aber etwas später als gewöhnlich an, da er die Straße wieder vom Schnee befreien musste, weil es nachts wieder heftig geschneit hatte.

Er fragte sich, worum ihn der Inspector nun bitten würde, jetzt da er nicht mehr von Nutzen war. Er ging an all den Constables an ihren Schreibtischen vorbei und versuchte ihnen wegen all der Hilfe, die sie ihm zuletzt geleistet hatten, zuzunicken und zu lächeln. Zu seiner Überraschung war der Inspector froh ihn zu sehen, als er in sein Büro trat.

„Ah, da bist du ja Junge. Ich wollte gerade gehen und deine Mutter fragen, woher du gekommen bist. Nun, da diese ganze chaotische Magiersache zu Ende ist, habe ich mich gefragt, ob du eine kleine Aufgabe für mich erledigen könntest."

Er zog seine Augenbrauen hoch. „Und was ist diese Aufgabe, Inspector?", fragte er.

Der Inspector grinste, was seinen Schnurrbart auf eine äußerst ungewöhnliche Art tanzen ließ. Er schien auf die gute Laune des Inspectors zu reagieren, wie auch darauf, wenn er irritiert war, und Thordric vermutete sehr stark, dass seine Magie etwas damit zu tun hatte. „Sieh dich um, Junge“, sagte der Inspector, indem er im Revier herumgestikulierte.

Thordric sah sich um. Die Farbe hatte begonnen, sich an mehreren Stellen abzulösen, und es gab eine ungewöhnliche Sorte Moos, die in einer Ecke wuchs. „Es fängt an, ein wenig schäbig auszusehen, oder nicht?“, fuhr der Inspector fort.

Thordric dachte, dass er wusste, worauf der Inspector hinaus wollte. „Hätten Sie gerne, dass ich renoviere?“, fragte er.

„Warum nicht, ja, eigentlich hätte ich das wirklich gerne“, sagte er. „Meine Schwester erwähnte zufällig dieses schöne Wandfresko, das du im Haus in der Nähe der Wälder gemalt hast. Ich dachte, wir könnten so etwas auch hier gut gebrauchen, um den Männern ein wenig Inspiration zu geben, wie sie ihre Arbeitsethik verbessern könnten.“

Thordric fand, dass das eine gute Idee war. „Hätten Sie gerne etwas Spezielles, das ich malen soll?“

Der Inspector dachte einen Moment lang nach, während sich sein Schnurrbart krümmte. „Nun ja, ich glaube, du, wie du Magier Rarn hast schweben lassen und ihn dazu gezwungen hast, den Trank zu trinken, würde gut aussehen, aber ich überlasse es dir. Ich bin sicher, dass dir etwas Angemessenes einfällt.“ Er winkte Thordric mit der Hand ab, wodurch er ihm signalisierte, sich zu entfernen und anzufangen.

Mit einem Lächeln sah sich Thordric den Rest des Gebäudes an, notierte jeden Riss und abgelösten Putz, jede feuchte Stelle und jede Einbuchtung. Mit einem einzigen Gedanken entfernte er all den Staub, Schmutz und das Moos, bevor er die feuchten Stellen erwärmte, sodass sie vollkommen trocknen konnten. Die Constables unterbrachen immer wieder ihre Arbeit, um sich zu versammeln und ihm zuzusehen, aber es machte ihm nichts aus. Er entfernte alle Farbe und verputzte die Wände neu, sodass er eine frische Leinwand hatte. Dann fing er ohne Farbe oder Pinsel mit seinem Wandfresko an. Er machte es groß genug, dass es das ganze Revier füllen würde.

Die Arbeit war zu dieser Zeit komplett zum Erliegen gekommen. Sogar zwei Constables, die gerade einen Dieb hereinbrachten, den sie gerade gefangen hatten, standen mit weit offenem Mund da und beobachteten, wie alle Farben an der Wand erschienen und Form annahmen. Thordric machte den Rest des Tages genau so weiter. Er hörte nicht einmal auf um zu essen, denn er konnte die Arbeit am Laufen halten, während er andere Dinge tat, wie er bald herausgefunden hatte.

Der Constable, den er vor zwei Tagen hinaus in den Schnee geschickt hatte, holte sogar ein Damespiel hervor und Thordric saß da und spielte eine Partie mit ihm, während sein Gemälde eigenständig fortfuhr.

Leider kam der Inspector aus seinem Büro und sah sie, als sie zur Hälfte fertig waren, und nahm es ihnen weg, da er alle anwesenden Constables zur Patrouille auf die Straßen schickte. Sie murrten unglücklich, als sie gingen, zogen ihre Winterjacken und Stiefel so langsam wie möglich an, sodass sie sehen konnten, wie sich das Wandfresko weiter entwickelte.

Die Nacht brach herein, bevor Thordric fertig war, aber er blieb noch ein paar Stunden, nachdem alle gegangen waren, um es zu vollenden.

Als sie am nächsten Morgen hereinkamen, konnten keiner von ihnen etwas sagen.

Der Anblick vor ihnen sah so real aus, dass alles, was sie noch tun konnten, nur noch starren war. Thordric hatte sich an die Idee des Inspectors mit Rarn gehalten, aber er hatte noch die Constables hinzugefügt, die die Magier hereinbrachten und auch diejenigen, die an den Zellen und vor dem Befragungsraum Wache gestanden hatten. Nicht ein einziger war ausgelassen worden und Thordric grinste eher selbstzufrieden, als sie im Revier umhergingen und sich selbst an der Wand identifizierten.

„Da hast du dich wirklich selbst übertroffen, Junge!“, rief der Inspector begeistert aus. Er nahm Thordric an der Hand und schüttelte sie so kräftig, dass er ihm fast den Arm aus dem Gelenk riss. Sein Schnurrbart war nass vor Tränen, die er nicht mehr schnell genug hatte wegwischen können, und seine Unterlippe zitterte wegen seiner zurückgehaltenen Gefühle leicht. „Lizzie hat mir von deinem Arrangement mit dem Hochmagier erzählt. Ich ... nun ... du... du wirst mir fehlen, Junge.“

„Ich habe mindestens noch eine Woche, Inspector“, unterstrich Thordric. „Außerdem bin ich sicher, dass sich meine Mutter freuen würde, wenn Sie ab und zu zum Abendessen vorbeikommen.“ Er grinste, als er sah, wie sich das Gesicht des Inspectors aufhellte.

„Sie ... das würde sie?“

„Natürlich würde sie das.“

„Nun ja, in dem Fall, ähm, Junge ... hätte ich eine Aufgabe zu erledigen.“ Er nahm Thordric in sein Büro mit und gab ihm aus einer Schublade seines Schreibtischs eine Notiz. „Vielleicht könntest du zum Juwelier laufen, wenn er öffnet, und ihm das hier geben ... danach kannst du den Tag bei Lizzie verbringen.“

Thordric nahm die Notiz. Er kümmerte sich nicht darum, was drauf stand, da er es schon wusste. Er sah den Inspector schief an, blieb aber still.

Der Juwelier befand sich nur einen kurzen Spaziergang entfernt und der Schnee hatte beträchtlich nachgelassen. Als er ankam, nahm der Juwelier ohne zu fragen die Notiz, nur mit einem einfachen Nicken und schickte Thordric weg.

Er verbrachte den Rest des Tages und den Rest der Woche damit, mit Vey zusammen die Bücher von Lizzies Mann durchzugehen. Er fand das über Pflanzen besonders interessant und er machte regelmäßig Ausflüge in die Umgebung der Stadt, um zu versuchen, die Winterkräuter zu finden, die dort wachsen sollten. Die Woche war schon bald vorüber und Vey ging zum Rat zurück. Thordric wartete nervös auf seine Berufung, er wusste nicht, ob sie noch am gleichen Nachmittag oder einen Monat später erfolgen würde. Er war ganz aufgeregt.

EINUNDZWANZIG
EINE REVOLUTION

Das Meer aus Magiern beobachtete erwartungsvoll, wie Vey auf die Plattform stieg.

Er trug ein silberfarbenes Gewand und hatte die schwere Mythrilkette seines Amtes um den Hals geschlungen, was ihn ein wenig so wirken ließ, als fühle er sich nicht wohl. Thordric stand an der Seite, trug den Umhang, den Lizzie ihm gegeben hatte, und versuchte so unauffällig wie möglich auszusehen. Trotzdem warfen ihm die Magier in den vorderen Reihen immer wieder Blicke zu.

Er hoffte, sie würden ihn nicht von ihrer Zeit auf dem Revier her erkennen, denn er hatte sich große Mühe gegeben, sein Haar bis zu seinen Schultern wachsen zu lassen. Er hätte auch einen kleinen Ziegenbart gemocht, aber seine Mutter hatte fast zwei Stunden mit ihm darüber gestritten, da sie fand, dass er ihn viel zu alt aussehen ließ, sodass er aufgab, nur damit sie sich beruhigte.

Er richtete seine Aufmerksamkeit wieder auf Vey, der schon seine Ansprache angefangen hatte. Seine Stimme hallte in der weiten Halle wieder und auch die taubsten Magier konnten ihn hören. Die Zuversicht darin vergrößerte Thordrics eigene Zuversicht, obwohl ihn seine Nervosität leicht erzittern ließ.

„Mitglieder des Rates", sagte Vey. „Da ich nun vollkommen mit meiner Position als Hochmagier vertraut bin und nach Prüfung von allem, was der Rat seit seiner Gründung erreichte, ist es an der Zeit, meine Pläne zur Verbesserung unseres Verhaltens und unserer Angebote an die Menschen darzulegen."

Die Menge murmelte nun, eine Mischung aus Aufregung und Ablehnung. Vey ignorierte es und fuhr fort. „Da seine bösen Pläne, die Kalljard in die Tat umsetzen wollte, entdeckt wurden - und nein, ich werde sein Gedächtnis nicht durch seinen Titel ehren, denn er verdient das nicht - möchte ich damit beginnen, unsere Sicht auf Halbmagier zu verändern." Er stieg von der Plattform und ging den Rest der Bühne entlang, während er allen mit seinem starken Blick begegnete.

„Was", fuhr er fort, „wissen wir denn am Ende wirklich über sie?"

„Halbmagier behaupten, dass sie Magie besitzen, aber jedermann weiß, dass das eine Lüge ist", rief einer der Magier in der Nähe der Bühne.

„Nein, sie besitzen wirklich Magie, aber sie verursachen nur Zerstörung", erwiderte ein anderer. Andere fielen ein und das Geplapper wurde so laut, dass man Vey nicht mehr hören konnte. Er hielt eine Hand hoch, um sie zum Schweigen zu bringen und stellte sich wieder auf die Plattform, sodass sie ihn alle sehen konnten. Die Stille breitete sich bald in der ganzen Menge aus.

„Ich glaube, es ist für mich an der Zeit, unser neuestes Mitglied vorzustellen." Er wendete sich Thordric zu, der so stark zitterte, dass sein Umhang bebte. „Thordric, würdest du bitte nach oben kommen?"

Thordric versuchte, sich am Riemen zu reißen, und tat, wie Vey es gesagt hatte. Er nahm jeden argwöhnischen Blick auf, den die Magier ihm zuwarfen. Als er auf der Plattform stand, flüsterte ihm Vey etwas ins Ohr. Thordric hörte aufmerksam zu, versuchte ruhig und eindrucksvoll zu wirken.

Er krempelte seine Ärmel hoch, erhob seine Arme und konzentrierte sich auf die Wände des Raums. Farben begannen, sich wie eine Welle auf sie herab auszubreiten, erschuf Wirbel und Muster und hellte den gesamten Raum auf. Sie breiteten sich über die Säulen und hoch zur Decke aus, über den Boden und entlang der Bänke, auf denen die Magier saßen. Sie beobachteten mit offenen Mündern und berührten die Farben, die sie nun umgaben, während sie ungläubig ausriefen, wenn sie sich nicht mehr von ihren Fingern lösten.

Thordrics Magie hörte jedoch nicht an dieser Stelle auf. Die Wasserspeier an der Decke sprangen zu Leben erweckt auf, breiteten ihre Flügel aus, um im Raum umher zu fliegen und auf die Köpfe der Magier herabzustoßen. Magier Rarn, der nur noch als Reinigungskraft behalten worden war, wurde von einem aus dem Raum gejagt. Alle konnten seine Schreie hören, die im Korridor widerhallten. Vey selbst hatte Thordric diesen Trick gezeigt. Es war eine einfache Erweiterung des Zauberspruchs, den er benutzt hatte, um den hölzernen Mann zum Leben zu erwecken. Dies war das erste Mal, dass er ihn richtig benutzt hatte und genoss das Ergebnis sehr.

Aus einem Augenwinkel heraus sah er, wie Vey eine schnelle Bewegung mit seiner Hand vollführte: Zeit, die Show zu beenden. Thordric zog seine Hände zurück und die Farben liefen die Wände herunter und bildeten am Boden eine riesige Pfütze. Er schnippte und die Pfütze trocknete zu einem vielfarbigen Pulver, das in den großen Feuerrost an der Rückseite des Raums schwebte. Die Wasserspeier kehrten wieder auf ihre Positionen zurück und wurden wieder unbeweglich, alle außer dem, der Rarn jagte. Thordric dachte, er sollte noch ein kleines Weilchen am Leben bleiben, einfach nur zur Sicherheit.

Er zog die Ärmel wieder über seine Arme und trat beiseite, um Vey fortfahren zu lassen. Jeder Magier im Raum war still.

„Wie ihr sehen könnt, hat Thordric hier ziemliches Talent, und ich versichere euch, dass es sich weit über einfache Tricks hinaus erstreckt", sagte Vey. Die Magier schluckten alle, jeder von ihnen wusste, dass das, was sie gerade gesehen hatten, überhaupt *nicht* einfach gewesen war. „Mit etwas jünger als 15 Jahren ist er ebenfalls das jüngste Mitglied des Rates aller Zeiten."

„Der Rat ist nicht da, um Babysitter zu spielen! In diesem Alter sollte er noch in Ausbildung sein", rief einer der Magier mittleren Alters, der sich eindeutig gekränkt fühlte, dass es jemandem, der so jung war, erlaubt sein sollte, Mitglied zu werden. Von den umstehenden Magiern war zustimmendes Gemurmel zu hören.

„Aber du kannst doch sicherlich verstehen, Magier Ayek, dass das Ausbildungszentrum ihm keine weitere Anleitung bieten kann?", sagte Vey. Er sah den Mann wie einen Dummkopf an und Thordric kicherte leise. Magier Ayek murmelte etwas Unverständliches.

„Das ist nicht alles, was euch am jungen Thordric hier überraschen wird", fuhr Vey fort und hielt inne, um die Menge zu beobachten. Sie sahen voller Besorgnis zu ihm auf. „Er ist ebenfalls ... ein Halbmagier."

Wütende Rufe erklangen von allen Seiten des Raums, wurden aber bald von ehrfürchtigen und tief verstehenden übertönt. Einige der Magier standen sogar auf und applaudierten und Vey schob Thordric nach vorne, sodass er sich verbeugen konnte. Thordric atmete tief ein und beugte sich vor, er schloss erleichtert seine Augen. Er hatte erwartet, dass sie mit Wut und nicht Applaus reagieren würden.

„Meine guten Mitglieder des Rates“, sagte Vey und seine Aufregung war in seiner Stimme zu hören. „Wir befinden uns nun in einem neuen Zeitalter, einem Zeitalter, in dem Voll- und Halbmagier in der Lage sein werden, zusammen zu lernen. Wir können dieses Vorurteil abschaffen, denn es gibt, und ihr seid gerade Zeugen dessen geworden, wirklich keinen Grund dazu. Halbmagier waren dafür bekannt, in der Magie zu versagen, ja. Aber fragt euch selbst: Hättet ihr keine magische Ausbildung, würdet ihr dann nicht auch versagen? Thordric hier wurde von meiner eigenen Mutter ausgebildet, die die Lehre der Magie lernte, indem sie meinem Vater zusah, der sich selbst in Gefahr brachte, indem er versuchte, seine Magie zu konzentrieren und zu kontrollieren.“

Der Magier, der ihn zuvor unterbrochen hatte, Ayek, sprang von seinem Sitz auf. „Du? Unser Hochmagier, du bist nichts außer ein ... ein *Halb*magier? Das ist ungeheuerlich!“ Er wandte sich verzweifelt an seine Brüder. „Wir müssen noch eine Wahl durchführen! Nur ein Vollmagier kann Hochmagier sein! Wenn Kalljard das gewusst hätte ...“

„Dann hätte er mich ermordet, wie er auch meinen Vater ermordet hat“, sagte Vey kalt. Er schien vollkommen gleichgültig gegenüber dem zu sein, was er gerade offenbart hatte, und Thordric machte sich Sorgen um ihn.

Die Magier um Ayek wendeten sich ihm wütend zu. „Sei ruhig, Ayek, du Idiot!“, sagte einer von ihnen. Thordric sah ihn an und bemerkte, dass es Magier Batsu war, der junge Magier, der Thordric in der Leichenhalle geholfen hatte. „Hat seine Hochwürden dir nicht gerade gezeigt, dass es keinen Unterschied macht, ob man Voll- oder Halbmagier ist? Thordrics Magie war deiner mehr als ebenbürtig und ich kann mich nicht erinnern, dass du jemals so eine Show geliefert hast!“

Immer mehr Magier fielen ein und Thordric beobachtete sie ungläubig. Das war der Rat der Magier. Er bestand vollständig aus Vollmagiern, die nur Stunden zuvor noch Halbmagier verachtet hatten, und sie ... lobten ihn nun?

Vey hob wieder seine Hände und bat um Ruhe. „Ich weiß, dass diese Offenbarung einige von euch verunsichert hat, und diejenigen, die denken, ich verdiente es nicht, Hochmagier zu sein, haben alles Recht zu gehen. Geht und seid vom Rat befreit und vom neuen Anfang, den ich ihm schenke." Mehrere Magier standen auf und wollten gehen.

„Aber seid euch über das Folgende bewusst", fuhr Vey fort, während er sie beobachtete. „Dass ich ein Auge auf eure Aktivitäten werfe, und wenn einer von euch etwas zu tun beginnt, das ich unangemessen finde, gefährlich oder illegal, dann werde ich nicht zögern, die Behörden zu verständigen und euch lebenslang einsperren zu lassen."

Thordric beobachtete mit Befriedigung, wie sich die Magier wieder setzten und Vey begann ihnen all die anderen Pläne mitzuteilen, die er für den Rat hatte. In der vorderen Reihe wurde ein Platz für Thordric frei gemacht, damit er in ihrer Mitte sitzen konnte, und das tat er auch glücklich.

An jenem Abend, als sich Vey in seine Gemächer zurückgezogen hatte, ließ er Thordric rufen, um mit ihm zu Abend zu essen. „Was hast du von meiner Rede gehalten?", fragte er, als sich Thordric setzte.

„Um ehrlich zu sein, Vey, das hat mir unheimlich Angst gemacht. Ich dachte, sie würden alle gegen dich rebellieren, uns beide aus der Halle heraustragen und uns lebenslänglich einsperren!"

Vey kicherte. „Genau deshalb habe ich dich dort gebraucht", sagte er, während er Saft aus der merkwürdigen Frucht trank, die in den Gärten des Rats wuchs. „Sag mal, was ist eigentlich mit dem Wasserspeier passiert, den du auf Rarn angesetzt hast?“

Thordric blinzelte. „Ich glaube, er jagt ihn vielleicht immer noch“, sagte er leicht nervös. Vey brüllte vor Lachen, ihm entging fast das Klopfen an der Tür.

„Herein“, sagte er, indem er seine Hand hob, sodass sie sich öffnete. Magier Batsu erschien in der Tür und trug ein Tablett mit einem Teller voller Jaffa Cakes und einer Notiz.

„Entschuldigt mich, eure Hochwürden und Magier Thordric“, sagte er, während er ihnen zunickte und das Tablett auf den Tisch stellte. „Dieser Brief ist gerade für Euch angekommen.“ Vey dankte ihm und beobachtete, wie er hinausging, bevor er die Notiz nahm, um sie zu lesen.

„Es scheint, deine Theorie über deine Mutter und meinen Onkel scheint richtig zu sein, Thordric“, sagte er mit einem Lächeln. „Wir wurden gerade zu ihrer Hochzeit eingeladen.“

Sehr geehrter Leser,

Wir hoffen, Ihnen hat es Spaß gemacht, *Inoffizieller Polizist* zu lesen. Falls Sie einen Moment Zeit haben, hinterlassen Sie uns bitte eine Kritik - auch wenn es nur eine kleine ist. Wir möchten von Ihnen hören.

Mit freundlichen Grüßen,

Kathryn Wells und das Next Chapter Team

ÜBER DIE AUTORIN

Kathryn Wells ist eine Schriftstellerin in den Bereichen Fantasy, Kinderbücher, Kurzgeschichten und Poesie.

Als Kind entdeckte sie ihre Leidenschaft für das geschriebene Wort, und obwohl sie noch viele andere Interessen entwickelte, kehrte sie immer wieder zum Schreiben zurück.

Ihre Lieblingsautoren sind Diana Wynne Jones, Suzanne Collins, Jonathan Stroud, Neil Gaiman, Garth Nix, J. K. Rowling und David Eddings, um nur ein paar zu nennen.

Sie schreibt auch unter dem Pseudonym Kathryn Rossati, und Sie können auf ihrer Webseite weitere Informationen finden:

Inoffizieller Polizist
ISBN: 978-4-86750-481-9

Verlag:
Next Chapter
1-60-20 Minami-Otsuka
170-0005 Toshima-Ku, Tokyo
+818035793528

6 Juni 2021

Ingram Content Group UK Ltd.
Milton Keynes UK
UKHW041833140423
420212UK00004B/48